Existem hoje poucos pastores que, de fato, pa˛ reduzido grupo de *escuta-dores* encontramos o Lisânias. Recomendo com entusiasmo o presente livro para qualquer pessoa que queira encontrar subsídios bíblicos sobre dinâmicas familiares. Igualmente beneficiados serão os profissionais de saúde mental, que encontrarão preciosos *insights* e demonstrações de como a espiritualidade bíblica possui valor terapêutico e é de uma atualidade perene.

AGEU HERINGER LISBOA, psicólogo, escritor e conferencista

Ninguém mais credenciado e capacitado poderia escrever um livro tão inspirador e útil. Como teólogo, o pr. Lisânias faz uma análise profunda dos dramas das famílias imperfeitas dos heróis da fé. Como pastor de uma grande igreja, tem anos de prática apagando incêndios em famílias imperfeitas. Como pai de família, sofre as dores de sua própria família imperfeita, e isso lhe proporciona grande empatia para socorrer as famílias de seu rebanho. Acima de tudo, o pr. Lisânias é fiel testemunha do imenso poder de transformação que só a perfeita graça de Deus pode operar no seio das famílias.

ALEX RIBEIRO, escritor, conferencista, conselheiro de líderes e atletas, e um dos fundadores do Atletas de Cristo

O maior desafio do ministério pastoral hoje é o de pastorear a família. Estamos em crise e sob ataque maligno, e somente a graça de Deus é capaz de trabalhar de forma eficaz em meio à nossa fraqueza. Recomendo a obra do pr. Lisânias por seu conteúdo relevante e oportuno. Também porque o autor é um homem de Deus, com coração de pastor. Todos serão abençoados com sua leitura.

ARIVAL CARNEIRO, escritor, teólogo e pastor da Igreja Presbiteriana de Pinheiros, em São Paulo

Uma leitura fascinante sob um olhar histórico bíblico, contextualizando as caraterísticas intrinsecamente humanas. Nossa sociedade precisava de uma leitura que evidenciasse o ser humano, suas falibilidades, suas conquistas, mas que também evidenciasse, acima de tudo, quanto a reparação e a restauração são caminhos possíveis mediante a graça. Parabéns, pr. Lisânias, por esta obra. Certamente as famílias muito se beneficiarão dela.

Cristiane Luiza de Carvalho Santana, psicóloga e cantora

Recomendo a leitura deste texto, não só pelo conteúdo desafiador e inspirador, mas também porque a obra reflete uma marca essencial do autor: o amor. Este livro reforça uma convicção pessoal minha como pessoa e pediatra: se queremos um mundo melhor, precisamos investir na família, cuidar das crianças, zelar pela comunicação interpessoal não violenta e incentivar a preparação emocional de nossos filhos. No universo da graça não há determinismo, há esperança; não há ferida que não possa ser cicatrizada; não há memória que não possa ser redimida; é possível trocar as roupas velhas por trajes novos.

Fernando M. F. Oliveira, médico pediatra, escritor, conferencista e conselheiro familiar

Cada livro, mesmo que não seja biográfico, traz consigo a vida e a obra do autor. Este, em especial, me faz ler, reler e recomendar devido à pessoa do meu amigo Lisânias. Sua trajetória outorga autoridade ao que ele fala e escreve. Cada linha desta obra expressa, além do que ele crê e ensina, principalmente quem Lisânias é: uma testemunha da graça que cura!

João Reinaldo Purin Jr., teólogo, conferencista e pastor presidente da Igreja Batista do Méier, no Rio de Janeiro

O pr. Lisânias traz uma abordagem bíblica clara diante de situações adversas que assolam as famílias e as levam a graus profundos de sofrimento em suas múltiplas dimensões biopsicossociais. Este livro pode cooperar com o aconselhamento de famílias imperfeitas que carecem dos recursos dados por Deus para transformar sua trajetória e o futuro de suas gerações.

Michel Lucena, médico cirurgião, professor e conferencista

Famílias imperfeitas, graça perfeita

LISÂNIAS MOURA

Copyright © 2021 por Lisânias Moura

Os textos bíblicos foram extraídos da *Nova Versão Transformadora* (NVT), da Tyndale House Foundation, salvo as seguintes indicações: *Almeida Revista e Corrigida* (RC) e *Almeida Revista e Atualizada*, 2ª edição (RA), ambas da Sociedade Bíblica do Brasil; e *Nova Versão Internacional* (NVI), da Bíblica, Inc.

Todos os direitos reservados e protegidos pela Lei 9.610, de 19/02/1998.

É expressamente proibida a reprodução total ou parcial deste livro, por quaisquer meios (eletrônicos, mecânicos, fotográficos, gravação e outros), sem prévia autorização, por escrito, da editora.

Fotografia de capa fornecida por Elisabetta Lombardo, em unsplash.com

CIP-Brasil. Catalogação na publicação
Sindicato Nacional dos Editores de Livros, RJ

M887f

    Moura, Lisânias
      Famílias imperfeitas, graça perfeita / Lisânias Moura. - 1. ed. - São Paulo : Mundo Cristão, 2022.
      192 p.

    ISBN 978-65-5988-079-9

      1. Família - Doutrina bíblica. 2. Família na Bíblia. 3. Conflitos interpessoais - Aspectos religiosos - Cristianismo. I. Título.

22-75977   CDD: 220.830687
                              CDU: 27-23:27-45

Meri Gleice Rodrigues de Souza - Bibliotecária - CRB-7/6439

Categoria: Família
1ª edição: abril de 2022

Edição
Silvia Justino
Preparação
Daniel Faria
Revisão
Natália Custódio
Produção e diagramação
Felipe Marques
Colaboração
Ana Luiza Ferreira
Marina Timm
Capa
Jonatas Belan

Publicado no Brasil com todos os direitos reservados por:
Editora Mundo Cristão
Rua Antônio Carlos Tacconi, 69
São Paulo, SP, Brasil
CEP 04810-020
Telefone: (11) 2127-4147
www.mundocristao.com.br

Sumário

Agradecimentos 7
Prefácio 9
Introdução 11

1. Famílias problemáticas também encontram esperança: 18
   A família de Abraão e Sara
2. Passividade e manipulação: 46
   A família de Isaque e Rebeca
3. Famílias sem limites, filhos selvagens: 74
   A família de Jacó
4. A graça que cura as dores da família imperfeita: 93
   A família de José
5. O amor de que a família precisa: 122
   A história de Jacó, Raquel e Lia
6. A graça transforma famílias destruídas 146
   em famílias amorosas:
   A família de Judá

Conclusão: A graça que rompe ciclos 169
   intergeracionais danosos
Apêndice: Uma palavra a pastores e líderes 184
Notas 188
Sobre o autor 191

Agradecimentos

A Deus, que diariamente me cobre com sua graça e, a despeito de minhas imperfeições, me usa em sua igreja.

A minha esposa, Teca, que amorosa e graciosamente ouve meus comentários sobre o que escrevo, opina e me encoraja. Sem ela, a caminhada da graça seria difícil.

A meus filhos, Daniel e Rafael, que embora conheçam as imperfeições dos pais não perdem de vista a capacidade de amar e aceitar, com os olhos em Deus, as dificuldades da vida.

A nosso querido médico da família, dr. Maurício Gattaz, que mais que um médico tem sido para nós muitas vezes como um pastor amoroso, zelando de nosso corpo e de nossa alma.

À equipe pastoral e ao presbitério da minha amada igreja, que por mais de 28 anos tem andado amorosamente comigo e com minha família, encorajando-nos.

À equipe da Editora Mundo Cristão, que sempre atenta ajuda-me, ensina-me, edita o que tenho escrito, tornando os textos mais bonitos, mas que, acima de tudo, forma um time de servos que me inspira.

Ao casal Davi e Mary Ann Cox, nossos ex-professores e hoje muito mais nossos inspiradores, que por mais de 45 anos tem nos desafiado a viver da graça para edificar uma família e ao mesmo tempo impactado quatro gerações de pastores, missionários e líderes no Brasil e no exterior.

Prefácio

Suely e eu nos sentimos profundamente honrados pelo convite de nosso cunhado para prefaciar este livro. Ao ler suas três obras, *Cristão homoafetivo?*, *A sala de espera de Deus* e, agora, *Famílias imperfeitas, graça perfeita*, comentamos entre nós sobre a bênção singular que o Senhor derramou sobre o Lisânias para escrevê-los.

Uma leitura superficial da história conjugal de Abraão e Sara, Isaque e Rebeca, Jacó com Raquel e Lia, José e Azenate, e a experiência de Judá com sua nora Tamar, não permite que tenhamos uma imagem nítida dos tremendos conflitos que acometeram nossos queridos heróis da fé. Mas, como o Lisânias enfatiza repetidamente no livro, *não existe família perfeita; existe graça perfeita!*

À semelhança daqueles mergulhadores que buscam nas profundezas das águas pérolas preciosas, o Senhor permitiu que Lisânias mergulhasse nos recônditos da história das famílias dos patriarcas a fim de extrair lições preciosas de suas crises, traumas, conflitos, tristezas e decepções. Algo muito *sui generis* neste livro é a maneira como nosso cunhado consegue identificar a dor e o sofrimento das famílias e pessoas envolvidas, estabelecendo um paralelo com nossas próprias experiências, tanto nos aspectos negativos como nos positivos.

Ao ler o livro, nós nos sentimos abençoados e ficamos pensando em tantas famílias que conhecemos ao longo de nosso ministério que, a exemplo do que ocorreu com os patriarcas, chegaram ao fundo do poço. Contudo, todas as vezes que houve reconhecimento do pecado, arrependimento genuíno e busca sincera de Deus, foi possível experimentar cura e restauração.

O livro mostrará situações nuas e cruas como adultério, incesto, estupro, mentira, engano, trapaça, rivalidade, orgulho e traição, que afetaram a vida de tantas pessoas. E, ainda que suas histórias tenham acontecido milênios atrás, essas famílias enfrentaram problemas muito comuns em nossos dias, deixando-nos com o sentimento de que nossa essência é a mesma, de que somos iguais àqueles que viveram no passado. Mas, se isso é verdade, também é verdade que Deus não muda e que "suas misericórdias se renovam cada manhã" (Lm 3.23).

Ao longo da leitura, você se verá imbuído de uma sensação de alívio: se todas essas pessoas conseguiram superar sua dor e puderam experimentar a graça e o amor de Deus, e se elas e suas famílias puderam ser abençoadas e transformadas, então a sua família também pode ser agraciada. Existe esperança para você e seus entes queridos se, com humildade, vocês se renderem aos pés do Senhor Jesus.

A leitura deste livro poderá ser a luz no fim do túnel para abençoar a sua vida e a de seus familiares, ajudando-os a descobrir que, com a ajuda de Deus, existe solução para aqueles problemas familiares que vêm se repetindo geração após geração.

Querido Lisânias, o Senhor lhe confiou um precioso talento. Aguardamos com expectativa os próximos títulos de sua pluma contando nossas histórias!

Calixto e Suely Patrício
Conferencistas, conselheiros, plantadores de igrejas e missionários aposentados da Junta de Missões Mundiais da Convenção Batista Brasileira

Introdução

....

*Toda família tem problemas, mas toda família tem a chance
de ser reconstruída como fruto da graça de Deus.*

*[...] e essa esperança não nos decepcionará,
pois sabemos quanto Deus nos ama.*

Romanos 5.5

"Minha família poderá ser perfeita, tio?"[1] Rony tinha 16 anos quando fez essa pergunta a seu pastor, depois de uma "pelada" na quadra da igreja. O ímpeto do pastor Davi foi responder de imediato com um sim ou um não, mas, conhecendo Rony havia algum tempo, ele percebeu que na realidade aquela não era a verdadeira pergunta. Então, colocando os braços nos ombros de Rony, o pastor disse: "Que tal conversarmos outra hora? Sua pergunta é importante e significativa. Não tenho uma resposta rápida, mas terei prazer em conversar com você sobre isso".

O pastor Davi sabia que milhões de pessoas, dentro e fora da igreja, veem-se às voltas com essa mesma dúvida. Todos que se casam sonham com uma família talvez não perfeita, mas pelo menos livre da repetição dos problemas encontrados na família de origem. Todos sonham com um "lar, doce lar", onde as surpresas serão sempre agradáveis, os filhos serão sadios, o marido amará a esposa incondicionalmente, a esposa admirará o marido independentemente das circunstâncias, o romantismo estará sempre presente entre o casal, cada membro da família desenvolverá o senso de pertencimento, dando e recebendo, perdoando e sendo perdoado, e assim por diante.

Mas será essa a realidade das famílias? É possível ter esperança em um mundo individualista em que, mesmo no contexto familiar, cada um foca apenas a si mesmo? Como lidar com os problemas familiares que insistem em repetir-se geração após geração? Rony está crescendo em um mundo bem diferente daquele em que seu pastor e seus pais cresceram, e talvez daquele em que você, leitor ou leitora, tenha crescido.

Não muito tempo atrás, famílias passavam uma mensagem subliminar de que certos assuntos não deviam ser comentados. Problemas comportamentais reprováveis ou até distúrbios emocionais, ainda que conhecidos na família, eram temas ausentes de conversas e de questionamentos, e não raro ignorados, como se inexistissem. Era vergonhoso admitir que alguém da família era "dado a muito álcool", ou que o papai tinha uma história ou caso com a ajudante da mamãe, ou que tal sobrinho era um tanto desvairado, ou até que um membro da família estava em uma clínica psiquiátrica. O primo que apresentava "certos trejeitos" era alvo de chacotas, mas apenas atrás das portas.

A realidade era que muitas famílias lutavam contra casos de abuso sexual, pedofilia, troca de papéis, adultério, dependência química, incesto, etc. Alguns casais viviam de aparência, como se tudo estivesse bem, e ainda que "todos" soubessem o que se passava ninguém fazia qualquer menção ao fato. Nada podia ser comentado, perguntado ou mesmo enfrentado. Era proibido sentir. Festas de família, portanto, eram para alguns um suplício. A falta de coragem para admitir os problemas e para pedir ajuda levava a sua não confrontação e à consequente não resolução. Mas, pior que isso, esse tipo de comportamento, mais do que hoje, repetia-se geração após geração, sem o correto tratamento. Os que morriam levavam consigo o segredo da família, sem nunca terem tido a liberdade de expressar suas dores.

Foi justamente a pergunta de Rony que suscitou no pastor Davi essa reflexão, e com ela alguns questionamentos lhe vieram à mente: "Tem de ser assim? Os problemas devem ficar encobertos? Pessoas em uma caminhada de sofrimento sem fim precisam permanecer caladas?". Alguém na família precisa ter coragem para lidar com as questões ocultas, pois, se não forem tratadas, os erros se repetirão nas gerações seguintes. Então, o que fazer?

A pergunta de Rony levou o pastor a se perguntar se Rony referia-se à família atual, se sonhava com uma situação futura ou se via na família alguns problemas conhecidos de todos, mas por todos encobertos. Seria ele quem, de uma forma ou de outra, diria: "Temos problemas, o que faremos?" ou "Não aguento mais fazer de conta que estamos bem"? Ou teria ele a coragem de dizer: "Preciso de ajuda para aguentar as dores desta família!"?

Caminhando até o carro, o pastor perguntou-lhe quantas famílias e sua respectiva história ele conhecia na Bíblia. Rony lembrou alguns nomes, sem necessariamente associá-los às respectivas famílias. Mencionou José, embora não conhecesse a história que antecedeu sua chegada ao Egito. Falou de Davi, referindo-se apenas a como o jovem pastor de ovelhas matara um gigante, mas sem nem sequer cogitar o ocorrido com Bate-Seba. Essas duas simples menções trouxeram à mente do pastor outras reflexões enquanto dirigia, e ao deixar Rony em casa o pastor prometeu que eles conversariam sobre o assunto.

"Quando?" foi a reação de Rony, revelando quão seriamente ele encarava essa conversa.

Sozinho, enquanto dirigia para casa, o pastor Davi perguntava-se com certa inquietação que caminho deveria tomar: o caminho da família imperfeita ou o caminho da graça perfeita? Então tentou lembrar-se de uma família na Bíblia que não apresentasse nenhuma disfuncionalidade e que fosse totalmente saudável. Lembrou-se da primeira família, o casal Adão e Eva. A família criada perfeita, mas que desobedeceu a Deus e viu um filho, Caim, matar seu irmão, Abel (Gn 4.1-16). Lembrou-se de Ló, que com valores deturpados preferiu deixar a companhia de seu tio, Abraão, e mudar-se para a Las Vegas da época, Sodoma e Gomorra (Gn 13). Lembrou-se das filhas de Ló, que abusaram sexualmente do pai e tiveram filhos com ele (Gn 19).

Na família de Abraão, a dificuldade em descansar nas promessas de Deus levou o patriarca a um caso com a moça que trabalhava em sua casa, e com ela teve um filho fora do casamento, questão que gerou problemas para o filho da promessa, Isaque (Gn 16), com repercussões até os dias de hoje. Se nos voltamos para a família de Isaque, vemos que este repetiu o erro do pai. Mentiu para proteger-se e, como pai passivo, deixou que a esposa tomasse a frente das decisões mais importantes da família. O resultado foi a inimizade de seus filhos Esaú e Jacó, que quase se mataram (Gn 26—27).

Quando analisamos a família de Jacó, filho de Isaque e neto de Abraão, vemos a repetição do erro familiar. Jacó tinha favoritos, como seu pai e seu avô, o que mostra muito claramente que erros e comportamentos familiares não tratados se repetem nas gerações futuras (Gn 21; 37). Lia, uma das esposas de Jacó, sofreu com o favoritismo do marido por Raquel, o que gerou em Lia um sério problema de identidade, que por um tempo a afastou de Deus (Gn 29.31-35). O favoritismo de Jacó também se estende aos filhos, na figura de José.

A passividade de Jacó, também aprendida na casa paterna, levou ao grave evento do desaparecimento de seu filho José, vendido como escravo aos egípcios por seu irmão Judá. Os demais irmãos contaram ao pai uma inverdade ao relatar a pretensa morte de José. A mentira, como mostra o texto bíblico, foi um traço presente na vida de Abraão e de Isaque (Gn 37.12-36) e repetiu-se na trajetória dos filhos de Jacó, netos de Isaque e bisnetos de Abraão. A história de José com seus irmãos, fruto de uma trajetória familiar desastrosa, mostra um ressentimento que só é tratado dezenove anos mais tarde (Gn 40—45).

Simeão e Levi, por sua vez, que deveriam ser modelos para os irmãos, tomados de raiva por terem tido sua irmã violentada, vingaram-se da família do estuprador de forma hedionda (Gn 34). Rúben, o filho mais velho de Jacó, incluiu ainda em seu currículo relações sexuais com uma das concubinas de seu pai, um ato vergonhoso na cultura da qual ele e seus irmãos faziam parte. O texto bíblico diz que Jacó soube do ocorrido, mas nada fez (Gn 35.22). Uma passividade também presente na biografia de Abraão, seu avô, e Isaque, seu pai. Tomado pela culpa de ter vendido o irmão, Judá, de cuja família vem o Messias, afastou-se da família e, longe de casa, envolveu-se com uma prostituta da cidade para onde fugira (Gn 38).

A história de outras famílias imperfeitas fora do círculo dos chamados patriarcas também não passa despercebida. Os filhos de Eli, sacerdote no tempo dos juízes, desonraram seu pai e a Deus. Corruptos, desviaram para si recursos pertencentes ao templo. Além disso, mantinham relações sexuais à porta do tabernáculo com mulheres que ali serviam (1Sm 2.12-26). E como nos esquecer do rei Davi? Adúltero, assassino passional, negligente com o filho Absalão.

Essas histórias bíblicas, contudo, não devem desanimar-nos. Se de um lado Deus nunca esconde nossos erros, como mostram os relatos bíblicos, de outro ele também sempre nos mostra a ajuda que apenas ele é capaz de nos dar. Essas famílias imperfeitas, problemáticas ou disfuncionais, cujos problemas se repetem nas famílias de hoje, experimentaram de uma forma ou de outra a graça de Deus. E essa mesma graça ele deseja derramar sobre nossas famílias hoje, tão imperfeitas e problemáticas como aquelas. Talvez não toda a família tenha experimentado ou vivenciado uma transformação, mas os indivíduos que se aproximaram de Deus em busca de mudança foram certamente abençoados e frutos novos de amor surgiram, permitindo que sua vida passasse por uma grande metamorfose. Nesse processo, descobriram que a graça perfeita tem o poder de restaurar famílias imperfeitas.

Diante disso, o pastor Davi ficou entusiasmado com a prometida conversa com Rony. Tendo como base a Palavra de Deus, ele poderia dizer: "Rony, com certeza não existe família perfeita, mas existe a graça perfeita de Deus, que nos capacita para vivermos bem entre famílias e familiares imperfeitos. Por isso, há esperança para a minha e a sua família".

Convido você, caro leitor, cara leitora, a caminhar com Deus e com Rony através das histórias de algumas famílias imperfeitas da Bíblia, cujos indivíduos descobriram que a graça de Deus os liberta para viverem uma trajetória familiar satisfatória e frutífera, a despeito de sua imperfeição. Na verdade, veremos não a história dessas famílias, mas a surpreendente, impactante e amorosa história da graça de Deus com elas e sobre elas. Não se trata, portanto, de histórias de fracasso familiar, mas da graça animadora e transformadora de Deus sobre cada um de seus membros. Histórias de encorajamento, pois o foco está não nos problemas familiares, mas naquele que transforma esses mesmos problemas em histórias inspiradoras.

Quem sabe você ou sua família venha a se identificar com algumas delas. Não tenho dúvida de que, ao recorrermos a Deus, sua graça perfeita sobre nossa família imperfeita nos concederá encorajamento e esperança de mudança e transformação. Foi assim com Abraão, Isaque, Jacó, José, Lia e Judá, cuja família teve a oportunidade de ser reconstruída pela graça de Deus.

Boa leitura!

1
Famílias problemáticas também encontram esperança: A família de Abraão e Sara

....

O andar com Deus não nos torna imunes ao erro, mas a graça nos redime dos erros familiares.

Deus nos prova seu grande amor ao enviar Cristo para morrer por nós quando ainda éramos pecadores.

ROMANOS 5.8

Rony encontrou-se com o pastor Davi para a prometida conversa. Aos 16 anos, não conseguia esconder certa ansiedade ao tentar responder à pergunta do pastor sobre o que o incomodava. "Acho que meu pai está nos enganando!" Rony comentou que seu pai trouxera um amigo do interior, para quem havia conseguido um empréstimo no banco a fim de que montasse uma pequena livraria e assim pudesse suprir sua família, que, segundo o pai de Rony, passava fome no interior. Mas esse amigo nunca tivera um negócio antes. Até onde a família sabia, ele era agricultor. Agora, tudo indicava que o pai de Rony estava tendo um grande prejuízo, dadas as crescentes dívidas da loja. Rony e Ruy, seu irmão, confrontaram o pai, que desmentiu.

Quando a mãe de Rony perguntava ao marido sobre a loja, ele desconversava. Chateada, ela se queixava de não ter participado dessa decisão do marido. A tristeza dela residia no fato de que, para pagar a dívida do banco, o marido fazia uso da reserva financeira da família, destinada a suprir os gastos com a educação dos filhos no exterior. Rony os via discutir com alguma frequência e percebia o distanciamento que começava a crescer entre os pais. Triste com a situação, ele desabafou: "Sabe, pastor, quando eu crescer e me casar, não quero ser como eles. Gostaria de ter uma família perfeita".

Percebendo o sofrimento de Rony, o pastor Davi tentou mostrar-lhe que Deus sempre tem uma forma de reerguer uma família e de restabelecer relacionamentos, e mencionou o exemplo da família de Abraão e Sara. Isaque e Ismael devem ter sofrido muito devido ao relacionamento que seus pais mantinham e ao tipo de relacionamento fraterno que eles próprios viviam. Diante da surpresa de Rony, o pastor começou a descrever a vida dessa família e como Deus agiu na vida deles em meio a todos os problemas que enfrentavam.

Embora a Bíblia registre fatos fantásticos — como a abertura do mar Vermelho, o tardio pôr do sol, o flutuar de um machado e a ressurreição de pessoas —, o pastor mostrou a Rony que ela também traz fatos não tão empolgantes, especialmente no que se refere a pecados e a erros pessoais e familiares. O propósito de Deus nesses relatos é justamente o de nos apontar como carecemos de confiança nele e dos recursos que ele nos disponibiliza para aprendermos a lidar com as situações reais da vida, das quais fazem parte as decepções e os problemas familiares.

Abraão e Sara, que pertenciam a uma família rica e conhecida, já eram idosos quando Deus, por um ato soberano, os chamou a fim de que deixassem a terra de Ur dos caldeus, na antiga Mesopotâmia, atual Iraque, sob a promessa de que Abraão se tornaria o pai de uma grande nação.

O S<small>ENHOR</small> tinha dito a Abrão: "Deixe sua terra natal, seus parentes e a família de seu pai e vá à terra que eu lhe mostrarei. Farei de você uma grande nação, o abençoarei e o tornarei famoso, e você será uma bênção para outros. Abençoarei os que o abençoarem e amaldiçoarei os que o amaldiçoarem. Por meio de você, todas as famílias da terra serão abençoadas".

Então Abrão partiu, como o S<small>ENHOR</small> havia instruído, e Ló foi com ele. Abrão tinha 75 anos quando saiu de Harã. Tomou sua mulher, Sarai, seu sobrinho Ló e todos os seus bens, os rebanhos e os servos que havia agregado à sua casa em Harã, e seguiu para a terra de Canaã. Quando chegaram a Canaã, Abrão atravessou a terra até Siquém, onde acampou junto ao carvalho de Moré. Naquele tempo, os cananeus habitavam a região.

Então o S<small>ENHOR</small> apareceu a Abrão e disse: "Darei esta terra a seus descendentes". Abrão construiu um altar ali e o dedicou ao S<small>ENHOR</small>, que lhe havia aparecido.

Gênesis 12.1-7

Depois de viajar por mais de dois mil quilômetros, o casal chegou a Canaã. Em pelo menos duas ocasiões durante o trajeto, Abraão ergueu um altar em adoração a Deus, demonstrando sua confiança no que Deus lhe pedia que fosse, fizesse e seguisse. O Senhor lhe dissera não apenas que ele seria uma bênção para muitos, pai de uma grande nação, como também que a terra em que pisava e o território que compreendia do Egito à Mesopotâmia pertenceriam a seus descendentes.

Para a alegria de Abraão, Deus reafirmou essas promessas com um item muito singular: seus descendentes seriam mais numerosos que as estrelas do céu (Gn 15.5). E, diante da reação de Abraão de não possuir descendentes, Deus disse: "Você terá seu próprio filho, e ele será seu herdeiro". Como Abraão poderia entender essas palavras? Abraão e Sara não tinham filhos, já estavam velhos e Sara havia passado da idade de poder conceber e dar à luz.

Deus havia colocado perante Abraão e Sara um desafio de fé. Como ter um filho biológico se ambos já eram idosos? Embora Abraão se visse impactado com a promessa de Deus, ter um filho com mais de 75 anos era algo totalmente inusitado ou até mesmo impossível. Mas o texto diz que "Abrão creu" (Gn 15.6), o que reafirma ser ele um homem de fé, uma vez que essa não fora a única oportunidade em que demonstrara sua fé em Deus. Sua própria saída da Mesopotâmia para uma terra desconhecida fora um ato de fé. Em Romanos 4.19-22, o apóstolo Paulo escreve sobre Abraão:

> E sua fé não se enfraqueceu, embora ele soubesse que, aos cem anos, seu corpo, bem como o ventre de Sara, já não tinham vigor. Em nenhum momento a fé de Abraão na promessa de Deus vacilou. Na verdade, ela se fortaleceu e, com isso, ele deu glória a Deus. Abraão estava plenamente convicto de que Deus é poderoso para cumprir tudo que promete. Por isso, por sua fé, ele foi considerado justo.

Em outra oportunidade, quando Deus pede a Abraão que sacrifique o próprio filho, o fruto da promessa pelo qual ele esperara mais de vinte anos, Abraão não hesita e obedece (Gn 22.1-18). Podemos imaginar o conflito em seu coração enquanto ele e o filho subiam o monte Moriá. Deus às vezes parece estranho. Embora a Lei ou os Dez Mandamentos ainda não tivessem sido escritos, Abraão, por ter sido criado à imagem e semelhança de Deus, tinha a lei de Deus gravada em seu coração (Rm 2.12-16). Ele sabia que era errado matar, ainda mais em se tratando do próprio filho, mas que fazer? Ainda que fosse errado matar, também era errado desobedecer a Deus, pois Deus é soberano e somente ele tem direito sobre a vida e a morte. Abraão se viu no dilema entre obedecer a Deus e realizar algo tão estranho e doloroso.

Nesse momento da conversa com o pastor Davi, Rony, mesmo sendo um adolescente, entendeu que obedecer a Deus é um dos maiores testes que enfrentamos em nossa caminhada com ele. Mais que isso, compreendeu o papel da soberania de Deus em nossa vida. A luta de Abraão foi na realidade uma vitória de fé, que pode ser observada nas palavras que ele dirigiu ao filho quando este indagou pelo cordeiro: "Deus proverá" (Gn 22.6-8). E Deus proveu. Abraão não sabia como Deus proveria. Ele apenas confiava que Deus supriria tudo que fosse preciso para que ele passasse por aquele teste. A essa altura de seu andar com Deus, Abraão certamente já havia interiorizado a promessa de que Deus era seu escudo. Ele ficou entre obedecer a uma ordem soberana de Deus e obedecer à própria consciência. Entre obedecer a Deus em contextos que não entendemos ou em ações aparentemente impossíveis de serem cumpridas e fazermos nossa própria vontade, a fé em Deus e em suas promessas é nossa única saída e decisão sábia.

Na realidade, não fomos chamados para entender Deus, mas para obedecer-lhe. E, ao obedecer-lhe, somos por Deus mesmo capacitados para lidar com as consequências de nossas decisões, pois ele é nosso refúgio em tempos de perda e em tempos de ganho. Esse ato de obediência e fé cunhou o nome Abraão como o modelo de vida e de fé que ainda hoje nos impacta (Tg 2.21-24). Abraão é reverenciado de uma forma muito singular pelos judeus, mas principalmente pelos cristãos:

> Pela fé, Abraão obedeceu quando foi chamado para ir à outra terra que ele receberia como herança. Ele partiu sem saber para onde ia.

E, mesmo quando chegou à terra que lhe havia sido prometida, viveu ali pela fé, pois era como estrangeiro, morando em tendas. Assim também fizeram Isaque e Jacó, que herdaram a mesma promessa. Abraão esperava confiantemente pela cidade de alicerces eternos, planejada e construída por Deus. [...] E, assim, uma nação inteira veio desse homem velho e sem vigor, uma nação numerosa como as estrelas do céu e incontável como a areia da praia.

Hebreus 11.10,12

Após ouvir o breve relato da vida de Abraão, Rony estava admirado por constatar que aquele homem e sua família, como a dele hoje, também enfrentaram problemas. O que o pastor Davi queria que o rapaz entendesse é que o fato de andarmos com Deus nem sempre significa que estaremos livres da tentação de desobedecer-lhe ou de sermos testados e provados em várias áreas de nossa vida. Muitas vezes, os testes por que passamos foram planejados ou permitidos por Deus. Assim foi com Jó e com o rei Davi. Outras vezes, como ocorreu com Abraão, caímos em tentações por vontade própria, por egocentrismo, por falta de fé e por tantas outras coisas com as quais nos vemos envolvidos. Talvez Rony estivesse tentando estabelecer uma relação entre os problemas enfrentados por sua família e pela de Abraão, por isso o pastor Davi entendeu tratar-se de uma grande oportunidade para explicar-lhe que Deus também age em famílias problemáticas a fim de reconstruir pessoas, sentimentos e relacionamentos destruídos por situações ou circunstâncias difíceis.

Abraão e Sara passaram por testes e enfrentaram tentações, como também a família de Rony e a de qualquer pessoa. O que Rony precisava saber é que a família que procura caminhar com Deus vive momentos gloriosos mas também difíceis, que se não administrados tendem a agravar-se. Foi assim com Abraão e Sara. Deixar a terra natal, onde tinham o abrigo da família, posição e riqueza, e dirigir-se para uma terra nova e estranha foi um tremendo teste. Ouviriam Deus ou não?

O Senhor testou a fé que Abraão tinha logo no primeiro contato. Ao chegar a Canaã, veio o segundo teste. A fome. Não havia o que comer em Canaã, e o casal foi para o Egito (Gn 12.10). Como Deus os tira de uma situação segura para deixá-los navegar em uma situação fora do controle deles? Mas Deus não tinha dito que os abençoaria em Canaã? Não deveriam eles ter consultado Deus antes de se dirigirem ao Egito? Ir para o Egito foi uma temeridade. Mas quem não passa por esse tipo de teste? Por isso é importante que cada um de nós entenda que, embora seja Deus quem dirige nossa vida, ele não nos nega a possibilidade de participarmos do processo. A questão é que, não raro, nossa participação vai na contramão da vontade de Deus, gerando problemas. Foi o que aconteceu com Abraão e Sara quando, sem consultar a Deus, decidiram dirigir-se ao Egito. Tentaram resolver a situação por si próprios, esquecendo-se das promessas do Senhor. E essa viagem lhes traria diversos problemas.

No Egito, outro teste os esperava. Sara era muito bonita, apesar da idade, e Abraão, prevendo problemas, fez uma proposta à esposa: passarem-se por irmãos, caso os egípcios perguntassem sobre ela (Gn 12.11-13). Embora Abraão e Sara fossem na verdade meios-irmãos, eles eram casados. E essa mentira se repetiria mais tarde, com o rei Abimeleque, monarca da região onde passaram a habitar (Gn 20). Esse foi o teste da integridade. Ser íntegro independentemente das circunstâncias é sempre um teste à nossa fé. Toda família passa por isso, e certamente era o que a família de Rony enfrentava.

Abraão e Sara viveram em um país dominado pela idolatria, e como estrangeiros não tinham nenhuma proteção ou direito. Esse é o teste do chamado que todos nós recebemos. Isto é, refletir Jesus onde quer que ele nos envie como profissionais, pastores ou missionários.

Outros incidentes são registrados na vida de Abraão. Ele e Sara deixaram o Egito muito mais ricos do que já eram, e por isso Abraão separou-se de seu sobrinho Ló. Este é mais tarde capturado por um dos reis da região, o que levou Abraão a ter de enfrentar uma batalha para libertá-lo, uma batalha que não teria de enfrentar caso não houvesse saído do Egito com tantos bens materiais (Gn 13—14). Esse foi o teste da riqueza. Como lidar com ela sem que interfira em nossa relação com Deus.

Mas a Bíblia ainda menciona outro teste. Como vimos, Abraão e Sara estavam avançados em idade e não tinham filhos. Deus, porém, havia prometido construir por meio de Abraão uma grande nação, com descendentes contados aos milhares de milhares. A alegria do casal foi tal que, ansiosos, Abraão e Sara precipitaram-se mais uma vez dando um passo à frente de Deus. Em vez de esperar o milagre, eles mesmos quiseram fazer o que competia somente a Deus. Sara sugeriu que Abraão tivesse relações sexuais com Hagar, uma das servas de Sara. Era uma prática comum, na época, que famílias sem possibilidade de conceber filhos lançassem mão de uma "barriga de aluguel". A mulher estéril podia escolher uma das servas para manter relações sexuais com o chefe da casa, e o filho ou a filha dessa relação pertenceria aos patrões, com todos os direitos de um filho natural. Esse foi o teste da espera, não cumprido satisfatoriamente por Abraão e Sara, gerando graves consequências que podem ser sentidas até hoje (Gn 16). Em vez de esperar pela direção e pelo tempo de Deus, eles tomaram a dianteira.

Com esses relatos, o que o pastor Davi queria mostrar a Rony era que, seja entre famílias do Antigo Testamento, seja entre famílias de hoje, pecados e comportamentos estranhos acontecem, e as consequências não são leves, conforme veremos.

Rony havia percebido erros semelhantes em sua casa. O pai não fora claro com a mãe. Ele se precipitou ao comprar aquela livraria para seu amigo e mentiu sobre a situação financeira da família. A decepção de Rony provinha do fato de que as decisões costumavam ser tomadas após uma oração, mas em vez disso o pai não só não comentara com ninguém como também acertara o negócio sem consultar a família.

O pastor Davi, porém, mostrou a Rony que embora erros possam ser cometidos em qualquer família, desestabilizando-a, a graça de Deus também é capaz de invadi-la e reconstruí-la. Mentira e precipitação são muitas vezes fruto da ansiedade, como ocorreu na história de Abraão e Sara, e essa história pode nos ajudar a compreender histórias atuais semelhantes e a lidar com elas.

O problema da mentira na vida de Abraão e Sara

Em nossa sociedade, pais sob pressão financeira podem mentir para si mesmos e acabar tomando decisões que violam prioridades familiares. Alguns alegam, por exemplo, que trabalham muito para poder sustentar a família. Mas será que a família precisa de tudo o que esses pais estão oferecendo? Será que para suprir as reais necessidades dos filhos não seria mais importante que um dos pais ficasse em casa até que os filhos fossem mais crescidos? Ainda que possa não ter ocorrido um problema idêntico ao de Abraão e Sara, o amor exagerado ao trabalho ou ao dinheiro causa dificuldades semelhantes.

A mentira de Abraão apresentava uma raiz muito profunda. Mentimos porque somos pecadores. Não nos tornamos pecadores depois que mentimos. A mentira é fruto do que somos: pecadores. Nossa pecaminosidade, porém, toma várias formas, e mentir é só uma delas. O problema se agrava quando confiar nas promessas de Deus ou partir para os próprios esquemas de preservação se torna um dilema. Esse foi o conflito interior de Abraão. O medo o invadiu, apesar da promessa de Deus de fazer dele uma grande nação. A questão é que, para que a promessa se cumprisse, eles precisariam permanecer juntos. Deus os protegeria por causa de seu plano.

O comportamento medroso de Abraão, apoiado por Sara, colocava em risco o plano de Deus de criar uma nação e de coroá-los de bênçãos. Abraão talvez até tenha pensado no plano de Deus para ele, mas esse plano precisava desenvolver-se segundo o processo de Deus, e não segundo os processos humanos, que deram lugar à mentira.

A mentira também se mostra quando preferimos dar ouvidos à nossa natureza humana e pecaminosa a ouvir o que Deus nos diz. Em vez de confiar nele, criamos um esquema pessoal de proteção. Aparente e enganosamente, é mais fácil confiar na "sabedoria humana" do que nas promessas e na sabedoria de Deus. Isso é muito frequente quando nos sentimos encurralados pelos valores do mundo, que parecem nos trazer mais benefícios que nossa fidelidade a Deus. Foi por medo que, ao ser confrontada por Deus, Sara mentiu negando ter rido da promessa divina de que ela engravidaria.

> O S‍enhor apareceu novamente a Abraão junto ao bosque de carvalhos que pertencia a Manre. Abraão estava sentado à entrada de sua tenda na hora mais quente do dia. Olhando para fora, viu

três homens em pé, próximos à tenda. Quando os viu, correu até onde estavam e lhes deu boas-vindas, curvando-se até o chão. [...]

Então um deles disse: "Voltarei a visitar você por esta época, no ano que vem, e sua mulher, Sara, terá um filho".

Sara estava ouvindo a conversa de dentro da tenda. Abraão e Sara já eram bem velhos, e Sara tinha passado, havia muito tempo, da idade de ter filhos. Por isso, riu consigo e disse: "Como poderia uma mulher da minha idade ter esse prazer, ainda mais quando meu senhor, meu marido, também é idoso?".

Então o SENHOR disse a Abraão: "Por que Sara riu? Por que disse: 'Pode uma mulher da minha idade ter um filho'? Existe alguma coisa difícil demais para o SENHOR? Voltarei por esta época, no ano que vem, e Sara terá um filho".

Sara teve medo e, por isso, mentiu: "Eu não ri".

Mas ele disse: "Não é verdade. Você riu".

Gênesis 18.1-2,10-15

Por estar em idade avançada, Sara deixou de confiar na promessa de Deus. O medo que nos invade quando olhamos para nossos recursos e os consideramos insuficientes para protegernos ou para fazer-nos confiar em Deus é o que nos leva a mentir. Foi o que ocorreu com Abraão e Sara. Afinal, teriam eles perdido a fé demonstrada ao sair de sua terra?

Nesse momento da vida, eles ainda trilhavam o caminho de crescimento na fé em Deus. Mesmo que isso não justifique a mentira, o medo acabou dominando-os. Embora Deus houvesse prometido abençoar quem abençoasse Abraão e amaldiçoar quem o amaldiçoasse (Gn 12.3), o esquema próprio de sobrevivência, acalentado pelo medo, falou mais alto.

Mas há outro problema na mentira de Abraão e Sara. Foi por medo de morrer que ele preferiu mentir. Quando deixamos de confiar na proteção de Deus para confiar em nós mesmos, sofremos a dor da perda, ainda que temporária, da comunhão com o Pai. Vejamos o que diz Gênesis 12.11-13:

> Aproximando-se da fronteira do Egito, Abrão disse a Sarai, sua mulher: "Você é muito bonita. Quando os egípcios a virem, dirão: 'É mulher dele. Vamos matá-lo para ficarmos com ela'. Diga, portanto, que é minha irmã. Eles pouparão minha vida e, por sua causa, me tratarão bem".

Abraão temeu pela própria vida. Era comum naquela época o assassinato de homens cuja esposa caía no agrado do rei. Quando uma mulher era tomada para o harém do rei, em geral passava por um processo de preparação para ficar ainda mais bonita (ver Et 2.12). No entanto, a beleza de Sara era incomum e talvez o rei dispensasse esses preparativos, tomando-a imediatamente como esposa. Abraão, porém, pensou no próprio bem-estar em vez de na segurança da esposa. Nem sequer cogitou quão doloroso e devastador seria para Sara ser possuída por um estranho, ainda que fosse o rei. Mas ele preferiu mentir a confiar em Deus.

Mentira tem a ver com falta de fé e com egoísmo, um egoísmo representado pela autopreservação a qualquer preço, não apenas para quem mente — que se verá atormentado pela culpa, se for um servo de Jesus — mas também para as pessoas, próximas ou distantes, atingidas diretamente pelas consequências.

A mentira de Abraão e Sara provocou danos. No Egito, em cumprimento de sua promessa de que amaldiçoaria quem prejudicasse Abraão, Deus enviou pragas terríveis sobre o faraó e os membros de sua casa (Gn 12.17), causando sofrimento a pessoas inocentes e não responsáveis pelo pecado alheio.

Embora Abraão tivesse deixado o Egito mais rico que ao chegar, essa nova riqueza o forçou a separar-se do sobrinho, uma vez que ela os impedia de viver no mesmo território. Ló então tomou o caminho de Sodoma e Gomorra, onde pôs em risco a própria vida e a vida das filhas. Por ser uma região perigosa, Ló foi capturado, e Abraão precisou enfrentar um exército de cinco reis para libertá-lo (Gn 14).

Já no incidente com Abimeleque, relatado em Gênesis 20, dois problemas resultam da mentira de Abraão: Deus ameaça matar Abimeleque com uma doença e, pelo rapto de Sara para seu harém, Deus o pune tornando estéreis todas as mulheres da família e da casa de Abimeleque:

> Então Abraão orou a Deus, e Deus curou Abimeleque, sua mulher e suas servas, de modo que pudessem ter filhos, pois o Senhor havia tornado estéreis todas as mulheres do harém de Abimeleque por causa do que tinha acontecido com Sara, mulher de Abraão.
>
> Gênesis 20.17-18

A esta altura, você, como Rony, talvez esteja se perguntando se Deus não pune pecados na família. Afinal, aparentemente, Abraão se saiu bem e mais rico em ambas as situações (Gn 12.16; 20.14-16). Será, então, que em algumas situações Deus permite ou finge não ver a mentira? Será que o pai de Rony não estaria justificando sua falta de transparência com a família sob a alegação de estar tentando poupá-la de alguma dor?

Embora em ambas as circunstâncias Abraão tenha se saído bem e mais rico, sua conduta foi culposa e inconsistente com seu caráter de servo de Deus. Demonstrou confiar mais nos padrões do mundo do que nas promessas de Deus. Ele não somente pecou contra si mesmo, mas contra Deus, arrastando Sara também.

Nem todas as riquezas refletem bênção de Deus ou origem em Deus. No relacionamento entre Abraão e Sara havia um comportamento inadequado que a Bíblia chama de mentira, e que é pecado. Não importa o propósito ou a circunstância. E isso se aplica ao comportamento de Abraão. Sara era de fato sua meia-irmã (Gn 20.12). Mas essa não era toda a verdade. Em outro contexto, se inquiridos, eles se apresentariam como marido e mulher. Embora haja uma discussão entre os eruditos se Abraão teria ou não mentido,[1] ele escondeu a verdade principal por razões pessoais e egoístas, tornando a situação mais delicada ou complicada. A verdade não muda de acordo com o contexto ou a circunstância, e, do ponto de vista bíblico, toda vez que faltamos com a verdade mentimos.

Esse problema se repete hoje nas famílias. Muitos pais, preocupados em construir uma carreira em vez de valores que reflitam Jesus, deixam de investir tempo na vida dos filhos. Ganhar dinheiro e reconhecimento se torna mais importante, e essa correria desintegra a família e o casamento. Ainda que o processo possa ser diferente do de Abraão e Sara, o problema é o mesmo. Talvez os pais de hoje não estejam mentindo, como Abraão, mas, como ele, estão colocando em perigo a vida emocional e espiritual da família.

A mentira de Abraão, fruto do medo e de interesses pessoais, e do esquecimento de quem Deus era e do que havia prometido ao casal, foi apenas a expressão de um problema que nos afeta individualmente e também cada família. Quando nossa confiança em Deus é superficial e circunstancial, abrimos na alma a possibilidade de agir na contramão da vontade de Deus. Inicialmente, pode até gerar uma falsa segurança pessoal, que camufla nossa culpa por desobedecermos a nosso Pai.

Outro ponto é que a riqueza obtida por Abraão em ambas as circunstâncias relatadas não é sinal de aprovação de Deus. Na realidade, tanto o faraó como Abimeleque apenas pagaram para redimir-se pelo erro cometido em sua posição de governantes. Adulterar era impróprio na cultura deles, e ambos não desejariam ser acusados de comportamento incompatível com seu nível de liderança. Os bens oferecidos ao casal caracterizaram, portanto, mais uma penitência que expressão de boa vizinhança.

Deus nunca aprovou mentiras ou meias verdades. Então, você talvez volte a se perguntar: por que Deus não puniu Abraão? Primeiro, Deus estava preservando seu plano, estabelecido para ser cumprido por meio de Abraão. Deus preservou-lhe a vida no Egito porque o faraó poderia ter mandado matá-lo para, assim, ter Sara sem que se configurasse adultério. Mas, se Abraão morresse, o plano de Deus por meio dele teria sido abortado. É fato que Deus poderia recomeçar seu plano usando outro homem ou outro casal, mas ele é fiel a sua palavra dada; ele tinha dito que seria por meio de Abraão e Sara que seu plano se concretizaria.

Segundo, ao preservar Abraão na situação com Abimeleque, Deus também estava preservando seu plano para o filho que viria de Abraão e Sara. Ou seja, se Abimeleque houvesse tocado em Sara, uma vez que ela engravidasse, surgiria a dúvida entre as pessoas quanto à paternidade desse filho. Nos planos de Deus não há surpresas nem nada que lhe fuja ao controle. É ele quem escolhe para onde nos levar. Deus nunca é pego de surpresa, pois é soberano, onisciente, onipresente e onipotente. Por isso o foco maior de Deus não foi punir Abraão, mas preservar sua palavra dada.

Em contrapartida, creio que consequências sobrevieram à vida de Abraão. Imagine como ele e Sara se olharam depois desses episódios. Poderiam ainda respeitar-se e admirar-se? Teriam eles celebrado o livramento? Acredito que sim. Mas também é possível que se tenham questionado quanto a sua confiança em Deus. Seria ela tão firme quanto pensavam?

O que essa experiência de Abraão nos ensina é que, como nós, os gigantes da fé também estavam sujeitos a problemas e a cometer erros, o que não justifica de forma alguma que você ou eu mintamos. A Bíblia é bastante clara: "Não mintam uns aos outros, pois vocês se despiram de sua antiga natureza e de todas as suas práticas perversas" (Cl 3.9).

O fato de Deus não ter punido Abraão clara e concretamente não significa que ele tenha aprovado o comportamento do patriarca. A própria vida lhe trouxe as consequências. Punição pelo pecado ou pela desobediência a Deus nem sempre é sinônimo de morte ou prejuízos materiais. Mas, independentemente das circunstâncias decorrentes, Deus nunca nos abandona. Em vez disso, sempre vem em nosso encalço para nos restaurar, se assim quisermos.

O problema da precipitação e da ansiedade na família de Abraão e Sara

Deus havia prometido um filho a Abraão e Sara, mas até o capítulo 17 de Gênesis ele ainda não havia revelado que Sara seria a mãe desse herdeiro. O casal já contava com mais de 80 anos de idade. Não é difícil imaginar, portanto, quão confuso Abraão se sentia. Uma mistura de alegria, fé e aturdimento. E, embora seja muito provável que ele tenha tido dúvidas, Romanos 4.9 afirma que ele creu.

Mas o fato é que a ansiedade e a precipitação tomaram conta deles. Se teriam um filho, como Deus prometera, por que esperar? Depois de tantos anos sem filhos, talvez Sara se considerasse amaldiçoada. Na época, a acusação sempre recaía sobre a mulher. Nunca sobre o homem. Portanto, se o problema estava com Sara, ela propôs uma solução bastante praticada na época. Era costume que os senhores da casa tivessem relações sexuais com as servas da esposa. Em caso de gravidez, a criança poderia ser considerada tanto uma criada da casa como uma herdeira da família. Daí Sara ter proposto a Abraão que mantivesse relações com Hagar, sua serva, a fim de terem um filho e assim perpetuarem a família.

O contexto para um sério problema familiar estava criado. A pressão da idade diante de uma promessa de Deus cujo tempo de realização não estava claro aliada à ansiedade de ver um sonho realizar-se e à tentação de fazê-lo sem consultar a Deus ou mesmo pedir-lhe permissão, tudo isso contribuiu para aquele cenário de boas intenções. O problema é que nem sempre nossas boas intenções estão alinhadas com as intenções de Deus, especialmente quando vêm permeadas por ansiedade, precipitação e valores divinos distorcidos e moldados pelo ego humano.

A questão é que Deus não dera a Abraão detalhes de seu plano para a vida do casal e, como agravante, vemos uma mulher cuja identidade parece fundamentar-se no ato de ser mãe. Naquela cultura, a maternidade definia o valor de uma mulher. Quando não assumimos nossa identidade de filhos de Deus e não a vivemos firmados em suas promessas, não raro buscamos descobri-la em outras fontes. E assim portas para erros e confusão se abrem. Esse mesmo problema se repetirá nos descendentes de Abraão, especialmente com Lia. O problema de Sara residia numa pergunta que ela não sabia responder com fé: quem sou eu? Uma mulher estéril ou uma mulher alvo do amor de Deus? Sara escolheu focar sua identidade na maternidade, e não no privilégio de ser uma mulher amada por Deus e por ele escolhida para um plano maravilhoso.

Não é interessante que ainda hoje cometamos o mesmo erro em família? Embora saibamos que Deus prometeu suprir-nos todas as necessidades, continuamos a tomar decisões precipitadas em nome da suposta demora de Deus, deixando de lado a oração ou a confiança em suas promessas. Optamos por construir nossa identidade a partir das próprias necessidades, em vez de crer que estamos em Cristo e nele temos tudo de que precisamos para ser o que somos e o que ele quer que sejamos. E porque queremos ser o que Deus não planejou para nós, cometemos erros desastrosos.

Deus não precisa de nossa ajuda para realizar o que ele nos prometeu. Em outras palavras, "cooperamos com Deus" porque não sabemos esperar. Mas, quando cooperamos com Deus da forma errada, colhemos os frutos errados. E foi esse o resultado da precipitação de Abraão e Sara. Primeiro, eles não esperaram a orientação de Deus sobre como e quando o filho viria. Embora muitas vezes Deus nos revele sua vontade, nem sempre essa revelação vem acompanhada do processo ou do caminho para satisfazê-la. Por isso, precisamos esperar e indagar mais, o que Abraão e Sara não fizeram. Ansiosos, adiantaram-se lançando mão de um recurso disponível em sua cultura.

A ansiedade é uma expressão de altivez. Ficamos ansiosos quando tentamos controlar nossa vida conforme a visão que temos dela. Como consequência, colocamos sobre os ombros um peso que não temos como carregar. É quase como se quiséssemos ser Deus. Queremos controlar processos e resultados, e porque não confiamos nos processos e no tempo de

Deus os resultados são funestos. Abraão e Sara poderiam ter feito o que séculos depois Davi faria: "Esperei com paciência pelo SENHOR; ele se voltou para mim e ouviu meu clamor. Tirou-me de um poço de desespero, de um atoleiro de lama. Pôs meus pés sobre uma rocha e firmou meus passos" (Sl 40.1-2).

Justamente pensando em nosso bem e desejando livrar-nos do peso de querermos ser deuses dirigentes da própria vida, sem depender dele, é que nosso Pai nos diz em Filipenses 4.6-7: "Não vivam preocupados com coisa alguma; em vez disso, orem a Deus pedindo aquilo de que precisam e agradecendo-lhe por tudo que ele já fez. Então vocês experimentarão a paz de Deus, que excede todo entendimento e que guardará seu coração e sua mente em Cristo Jesus". Abraão e Sara já tinham uma promessa de Deus, mas em vez de aguardar as instruções divinas criaram o próprio plano. E o resultado foi a perda da paz. Os problemas advindos com o filho dessa relação até hoje se refletem na nação e nos descendentes do filho que Deus prometera ao casal.

A ansiedade é uma forma de dizer a Deus que ele está atrasado com seus planos ou que o caminho que ele tem para nós não é o melhor. O medo de Rony de que o negócio do pai não desse certo estava relacionado com a falta de confiança em Deus e com o desejo do jovem de que a ação do pai satisfizesse seus critérios. No fundo, apesar de sua pouca idade, ele desejava controlar a família, um poder que pertence apenas a Deus, não a ele.

Há, ainda, outro problema na dinâmica relacional de Abraão e Sara. Tanto no contexto da mentira como no da precipitação para a chegada do filho, Sara e Abraão cometeram mais um erro. Sara manipulou o marido induzindo-o ao erro, mas em última análise Abraão foi o responsável, por ter concordado. Sara agiu como Eva, quando tentada pelo diabo, e Abraão, como Adão. Deixou-se liderar por Sara em vez de primeiro consultar a Deus se aquele era de fato o caminho. Faltou a Abraão a firmeza de um marido que lidera a esposa com zelo e ternura. Ele poderia ter dito a Sara que não se precipitassem, mas esperassem as instruções de Deus. Não sabemos se Hagar era muito mais jovem que Sara, e talvez Abraão se tivesse sentido sexualmente atraído por ela. O fato é que a tentação se fez presente, e a responsabilidade final não era de Sara, mas do próprio Abraão.

Em nossa família esse mesmo problema se repete. Maridos sabem exigir da esposa submissão, mas por medo ou mesmo falta de confiança em Deus deixam nas mãos dela decisões que não desejam tomar. Esquecem que precisam exercer sua função de marido na dependência do Pai. Por desconhecerem a capacitação de Deus para ser e agir como maridos e pais, os homens se omitem e colocam sobre a esposa uma carga que não lhe pertence. O problema da passividade visto em Abraão se repetirá, mais tarde, na família de Isaque e Jacó.

A manipulação de Sara e a ansiedade do casal para ter um filho, sem consultar a Deus previamente, levaram à geração de Ismael. Embora Ismael não tivesse nenhuma culpa nos acontecimentos que o envolveram, a relação entre Sara e Hagar, a mãe biológica, ficou abalada e irreconciliável (Gn 16). Apesar de ter sido a idealizadora do plano, Sara culpou Abraão por não intervir na situação. A passividade de Abraão associada à manipulação de Sara geraram contendas, ressentimentos, ira e quebra de relacionamentos na família. Mais tarde, já com Ismael crescido, Sara exigiu que Abraão despedisse Hagar, que mesmo deixando a família foi cuidada por Deus (Gn 21.8-21).

Traduzindo para uma linguagem mais atual, um filho fora dos planos de Deus trouxe consequências funestas para a família de Abraão e seus descendentes. A exemplo do ocorrido na família de Abraão, Rony se perguntava se em sua família a história poderia ter sido diferente. Às vezes, ele sentia raiva daquele amigo de seu pai, por estar causando alguns problemas em sua casa, mas ao refletir sobre a história da família de Abraão ele percebeu que o problema não era o amigo de seu pai, mas o próprio pai.

Na verdade, o questionamento de Rony se reveste de outras nuanças. Como uma família pode ser diferente diante das pressões manipuladoras da verdade, diante das mentiras e da ansiedade, e manter-se saudável apesar das imperfeições de seus membros? A chave é a graça de Deus. Ela é o caminho para a reconstrução do relacionamento familiar com o qual Rony se preocupava e se sentia desapontado.

A graça de Deus na vida de Abraão e Sara

Quando analisamos os eventos envolvendo mentira, precipitação e manipulação na vida de Abraão e Sara, pode parecer que Abraão foi um mau caráter. No entanto, não é essa a fotografia correta do casal. Na verdade, esses acontecimentos não os desmerecem. Mas para entender isso é preciso desviar o olhar das atitudes do casal e fixá-lo na graça de Deus. Ela sempre corrige erros e reconstrói vidas quando recorremos a ele.

Os erros de Abraão e Sara não definiam sua identidade como casal e não tiveram maiores consequências na vida deles porque Deus, por sua graça, os preservou, não porque ele nos dá liberdade para mentir, atropelar seus planos ou manipular o outro na expectativa de receber sua graça, mas porque é soberano na realização de seus planos. O plano de Deus para Abraão e Sara seria cumprido, apesar dos deslizes do casal. Isso é graça. E ela provém do caráter de Deus. Não merecemos seu amor nem seu perdão. Mas por escolha própria, por meio de Jesus, Deus nos alcançou, trazendo-nos benefícios inimagináveis. Um desses benefícios é a restauração e a reconstrução de nossa família quando a ele recorremos com esse propósito. É parte de seu plano nos capacitar a viver saudavelmente com a família, mesmo quando nem todos os membros são saudáveis.

Veja como Deus agiu com Hagar. A serva de Sara sofreu abuso, foi usada e rejeitada. Hagar não planejou ter um filho com Abraão. A relação entre eles foi fruto da cultura da época. Mas, apesar do erro de Sara, Hagar foi fortalecida e suprida por Deus, e testemunhou o cuidado dele com Ismael. A história dela ao ser expulsa da casa de Abraão não deixa dúvidas disso (Gn 21.1-21). Abraão errou, sim, em ter mantido relações sexuais com Hagar. No entanto, a graça de Deus o renovou. Embora ele também amasse Ismael, precisou separar-se desse filho porque não era plano de Deus que a principal descendência de Abraão viesse por meio de Ismael. Isso deve ter sido muito doloroso para Abraão, pois independentemente de tudo Ismael, como Isaque, era seu filho.

Se essa conduta de Abraão não merece ser imitada, um traço em sua vida o torna digno de imitação: sua fé. Essa também uma expressão da graça de Deus. Abraão é chamado de o pai da fé. Pela fé saiu de Ur dos caldeus para uma terra desconhecida, simplesmente crendo no que Deus lhe dissera. Da mesma forma, Sara é citada em Hebreus 11 como tendo sido uma mulher de fé a ponto de já velha e estéril ter acreditado que teria um filho (Hb 11.11). Também pela fé, Abraão creu que deveria obedecer a Deus quando este lhe ordenou que sacrificasse o próprio filho, Isaque, confiando que Deus poderia trazê-lo de volta ou ressuscitá-lo (Hb 11.17-19).

O que depreendemos disso é que uma vida de fé não nos isenta da culpa por nossos erros nem nos torna invulneráveis a tentações, mas nos alerta a nos distanciarmos dos erros. Para viver uma vida de fé, independentemente dos problemas enfrentados pela família, é preciso estar atentos a alguns princípios básicos. Um deles é nunca presumir que a mentira é uma saída em horas difíceis ou um recurso para fugir das tentações ou dos perigos iminentes. Nossa fé é testada e aperfeiçoada em meio às provações.

Ao enfrentar a fome em Canaã, Abraão deveria ter se lembrado da promessa de Deus. E, porque Deus não mente, Abraão poderia ter-lhe perguntado se deveria ou não ir ao Egito para sobreviver à crise de fome, mas o medo acabou invadindo a alma do casal. Assim acontece em nossa vida também. Temos medo do desconhecido, medo de passar pelo que nunca passamos. O medo nos leva ao orgulho de querer gerir a vida como achamos, e como fruto colhemos a dor. Mas, em cada adversidade que Deus nos permite enfrentar, ele planeja o bem para nós, e não o mal. E é no meio da adversidade que nosso caráter é aperfeiçoado.

O problema, contudo, não está só no medo. Ainda precisamos aprender a conter a precipitação, que aliada à ansiedade revelam nosso orgulho e desejo por controle e poder. Esperar em Deus e pelo cumprimento de suas promessas demanda um esvaziamento. Abraão e Sara, assim como todos nós, precisavam descobrir o poder do esvaziamento. Sara teve dificuldade de encarar a si mesma e seu vazio por ser estéril. Era difícil ser vista como uma mulher amaldiçoada, incompleta, não feminina. Sara não entendia que Deus não havia terminado de construí-la como mulher, daí seu sentimento de não realização. Não somos diferentes. Temos dificuldade em aceitar e crer que o desejo de Deus é usar-nos tal como somos, com ou sem os predicados que gostaríamos de ter. Nesse processo de sofrimento, perdas, provações e silêncio, Deus nos molda segundo seu querer. Não são os predicados que nos capacitam a cumprir os planos de Deus para nós, mas sua graça. Quando Deus nos chama para segui-lo e confiar nele, ele já sabe tudo sobre nós, está ciente de nossas fraquezas e limitações. Ele apenas nos convida a confiar-lhe nossa vida.

O pastor Davi compartilhou com Rony como fora, por muito tempo, escravo do desejo de ser um pastor extraordinário, um líder forte segundo o que ele mesmo considerava ser forte. Nesse processo de ser o que não era e de possuir certos predicados que Deus não lhe havia concedido, ele feriu alguns, decepcionou outros e sofreu perdas e humilhações. Tudo gratuitamente. Apenas por sentir-se cheio de si em vez de se deixar preencher por Deus. Todos nós estamos sujeitos a cair em tentações semelhantes. Como Sara, cada um de nós precisa esvaziar-se, renunciar ao controle das coisas segundo nossa visão e desejo. Quando admitimos perante Deus nossa ansiedade e pressa e nos dispomos a ser o que e como ele quer que sejamos, no tempo dele, Deus nos liberta. Em contrapartida, quando resistimos a esse esvaziamento, enveredamos por caminhos errôneos e colhemos frutos amargos. O esvaziamento só vem com uma confissão honesta perante Deus.

Em suma, autossuficiência, ansiedade e desejo de ser o que não fomos feitos para ser tão somente nos conduzem ao pecado. Apenas quando nos prostramos diante de Deus, confessando nossa altivez e nosso desconforto com a forma que ele nos fez, as coisas passam a ser diferentes. Não só nos sentimos mais leves como também descobrimos que nossa principal e maior satisfação não está em uma carreira bem-sucedida ou em uma conta bancária polpuda. Isso é muito bom, sim, mas melhor que isso é estar plenamente satisfeitos em Deus. Se nos escondemos atrás das insatisfações, enveredando por caminhos que conflitam com os valores de Deus, a ansiedade se torna um estilo de vida, condenando-nos a uma trajetória de infinita insatisfação, cuja consequência é frustração e pecado.

Jesus é nosso modelo quando falamos de esvaziamento. Ele abriu mão de agir como Deus durante o tempo de sua encarnação (Fp 2.5-11). A fim de cumprir os planos de Deus para sua vida aqui conosco, submeteu-se completamente à vontade do Pai e, ao fazê-lo, sofreu perseguições, traições e decepções que culminaram na cruz. Deus, porém, o exaltou, ressuscitando-o e glorificando-o. Precisamos entender que nunca chegaremos a vivenciar o plano de Deus para nossa vida se não permitirmos que ele trabalhe nosso caráter e nos esvazie daquilo que nos impede de andar com ele.

Embora nada na vida de Jesus precisasse ser esvaziado por ser pecaminoso, foi sua decisão deixar de agir segundo a própria vontade para submeter-se à vontade do Pai. Em outras palavras, Jesus decidiu viver totalmente na dependência do Espírito Santo a fim de realizar o plano de Deus para ele aqui neste mundo. Nosso esvaziamento, portanto, se dará quando confessarmos pecados, admitirmos erros, reconhecermos nossa ansiedade e precipitação. Só então virá o arrependimento, e com ele o perdão de Deus, que derramará sobre nós sua infinita graça, como fez com Abraão e Sara. Por ser um Deus fiel e soberano, ele trouxe para si o casal, e fez Isaque nascer. O descendente de Abraão do qual Deus faria uma grande nação não era Eliézer, o servo fiel, nem Ismael, o filho da escrava com seu senhor, mas Isaque, o filho de Abraão e Sara. O filho da promessa. Esta é a beleza da graça de Deus na vida de Sara:

> O SENHOR agiu em favor de Sara e cumpriu o que lhe tinha prometido. Ela engravidou e deu à luz um filho para Abraão na velhice dele, exatamente no tempo indicado por Deus. Abraão deu o nome Isaque ao filho que Sara lhe deu. No oitavo dia depois do nascimento de Isaque, Abraão o circuncidou, como Deus havia ordenado. Abraão tinha 100 anos quando Isaque nasceu.
> Sara declarou: "Deus me fez sorrir. Todos que ficarem sabendo do que aconteceu vão rir comigo!". E disse mais: "Quem diria a Abraão que sua mulher amamentaria um bebê? E, no entanto, em sua velhice, eu lhe dei um filho!".
>
> Gênesis 21.1-6

"O SENHOR agiu em favor de Sara." A graça de Deus não levou em conta o riso incrédulo de Sara ao ouvir a promessa. Deus fez um milagre na vida dela e transformou o riso da incredulidade no riso da fé. Enquanto anos antes Sara havia declarado que Deus a fizera estéril, agora ela afirma: "Deus me fez sorrir". Que mudança! Portanto, assim como visitou Sara em sua velhice, Deus nos visita com sua graça em qualquer época da vida de nossa família imperfeita. Quando a graça nos invade, a dor é transformada em júbilo: "Quem diria a Abraão que sua mulher amamentaria um bebê?". A graça transformou a identidade de Sara. Ela já não se via como uma mulher de segunda classe, mas como uma mulher visitada por Deus, no tempo de Deus, do jeito de Deus.

O nascimento de Isaque foi mais um passo do Senhor no cumprimento de sua promessa a Abraão, uma promessa que, cumprida em sua totalidade, abençoaria o mundo, pois da família de Abraão viria o Messias, através de quem a humanidade seria abençoada: "Na verdade, Sara, sua mulher, lhe dará um filho. Você o chamará Isaque, e eu confirmarei com ele e com seus descendentes, para sempre, a minha aliança" (Gn 17.19). A família que tinha tudo para dar errado, a família imperfeita, foi o instrumento de Deus para, por sua graça infinita, abençoar todas as famílias do mundo.

Quando esperamos em Deus, ele nos leva a sobrepujar disfuncionalidades e problemas pessoais e familiares. E era isso que Rony precisava compreender a respeito de sua família. Deus é mais que gracioso. Ele ainda estava trabalhando no pai do jovem. Não podemos esperar perfeição dos membros da família, mas podemos vê-los como pessoas em processo de construção. Como Rony, precisamos aceitar a imperfeição da família e perdoá-la pela decepção ou dor que nos causam. O perdão pode ser o primeiro passo para não sermos escravos do desejo impossível de ter uma família perfeita. Em vez disso, devemos pensar em como a graça de Deus em nossa vida pode nos tornar um membro da família que reflete Jesus. É isso que deve nos nortear, na confiança de que Deus trabalhará em nós e em nossa família.

Rony precisava abandonar seu desejo de controlar as circunstâncias e a família, principalmente seu pai. Deus poderia devolver os recursos da família ou mostrar outro caminho. Talvez não fosse mesmo plano dele que eles estudassem no exterior. Rony era jovem e tinha tempo para descobrir o que Deus desejava dele na universidade. Ele não podia se deixar levar pela ansiedade, um dos problemas que levaram Abraão e Sara a errar com Hagar. Rony precisava colocar-se nas mãos de Deus para, amorosa e respeitosamente, abrir seu coração com o pai. Precisava compartilhar sua dor com relação a ele e com o que ele estava fazendo, mas sem deixar de tratá-lo como seu pai. Precisava orar por ele, pedindo a Deus que sua graça o invadisse a fim de reparar com a esposa o erro cometido e assim restaurar as relações com ela e a família. O bem-estar da família não pode depender de seus membros, mas unicamente de seu relacionamento com o Deus gracioso.

Mas Rony tinha outro desafio: olhar para o pai com os olhos de Deus e assim evitar que o ciclo se perpetuasse em sua vida, em sua futura família. Seus sentimentos poderiam transformar-se em amargura, que se não tratada afetaria seus futuros filhos. Mais que isso, afetaria seu relacionamento com Deus. Rony, como Abraão e Sara, precisava esvaziar-se de suas mágoas e angústias, caso contrário, em circunstâncias semelhantes, ele viria a agir como seu pai, a exemplo do que ocorreu com Isaque, que acabou imitando o comportamento de Abraão. Isso apenas reafirma que todos erramos: nossos pais, nossa família e nós mesmos, e todos carecemos da graça de Deus. As pressões, internas ou externas, nos alcançarão, e quando isso ocorrer não devemos agir como se fôssemos autossuficientes, mas sim buscar a Deus e sua orientação. Só por sua infinita graça poderemos resistir ao medo, à ansiedade e à precipitação.

Foi pela graça concedida à família de Abraão que Deus abençoou o mundo. Hoje, Rony e todos nós podemos crer em Jesus como nosso Salvador porque Deus cumpriu sua promessa na vida de Abraão e Sara. De sua família — imperfeita, sim — veio o Messias.

2
Passividade e manipulação: A família de Isaque e Rebeca

....

A graça de Deus transforma maridos passivos e esposas dominantes em pessoas que amam, lideram e servem.

Pois Deus não nos deu um Espírito que produz temor e covardia, mas sim que nos dá poder, amor e autocontrole.

2TIMÓTEO 1.7

Rony e seu irmão, Ruy, vão juntos ao gabinete do pastor Davi. A família estava na igreja havia cerca de trinta anos, quase o mesmo tempo que os pais, Raul e Roberta, estavam casados. O casal aparentava ter um bom relacionamento, ainda que por vezes ambos se mostrassem emocionalmente distantes um do outro. A filha mais velha, Ruanita, causara preocupação aos pais. Embora alguns acreditassem que ela pudesse ter sido dependente química por alguns anos e provocado um aborto, os pais nunca mencionaram o assunto com o pastor. Raul era gerente em uma grande empresa e Roberta, consultora de moda. Quando Marieta, a mãe de Raul, se hospedava na casa deles, a dinâmica familiar sofria certa alteração. A interação com Raul era fria e com Roberta, apenas cortês. Um segredo parecia pairar sobre aquela família.

No encontro com o pastor Davi, Ruy expressou a mesma preocupação do irmão. Ambos desejavam uma família diferente, perfeita. Ele gostava das histórias bíblicas de fé. Lera algumas vezes a história de Isaque, mas queria saber como Deus tratara aquela família, pois via certas semelhanças com a dele. Ruy sentia que algo pairava sobre sua família, algo não revelado ou tratado. Sua relação com o pai nem sempre era pacífica. Embora reconhecesse abusar algumas vezes da boa vontade do pai, pedindo dinheiro, que raras vezes devolvia, Ruy via nele certa vulnerabilidade ou tentativa de compensação, um distanciamento que ora se revelava controlador, ora leniente, em especial com a irmã, Ruanita, a quem, de seu ponto de vista, tudo era concedido, em detrimento do que ocorria com ele e o irmão, Rony.

Ruy se sentia injustiçado e desapontado com relação ao pai, mesmo reconhecendo a mútua manipulação. Mas o foco de sua tristeza não se resumia a ele. Sua mãe era maltratada e, às vezes, até desprezada. Em certa medida, parecia-lhe que, mais que um relacionamento conjugal, tratava-se quase que apenas de uma relação de amigos. Isso tudo o sufocava e o levava a desejar viver fora do ambiente de casa.

Sentimentos como os de Ruy e Rony são perfeitamente compreensíveis. Toda família enfrenta problemas, mas nenhum deles é insolúvel para Deus. Mais que isso, ele pode transformá-los em benefício para um ou mais membros ou para toda a família. Se, de um lado, não há famílias perfeitas, de outro existe a graça de Deus, que traz cura, reconstrução, perdão e novos propósitos. Daí a necessidade de buscar a Deus e aprender em sua Palavra lições capazes de abençoar a família, independentemente de quão saudável, ou não, sejam os relacionamentos e interações.

Naquela conversa com Ruy e Rony, o pastor Davi relembrou a história de Isaque, filho de Abraão. Trata-se de um exemplo claro da intervenção de Deus, por meio de sua graça, na vida daquela família.

A história de Isaque

Isaque era fruto de um milagre. Seus pais não só haviam passado da idade de ter filhos — ambos tinham mais de 90 anos quando Isaque nasceu —, mas Sara, sua mãe, também era estéril. Isaque se tornou o filho preferido daquela família. Ismael, irmão de Isaque por parte de pai, e sua mãe, Hagar, foram expulsos de casa porque Sara tinha olhos apenas para o filho nascido dela. Como na família de Ruy, havia um favoritismo na casa de Abraão, uma questão tão complexa a ponto de gerar o rompimento da família. Além disso, a experiência de Isaque com seu pai no monte Moriá provavelmente foi marcante e traumática, ainda que tenha sido ao mesmo tempo didática, pois ele aprendera que nosso Deus é provedor. Esse evento marcou seu pai, Abraão, consagrando-o como um homem de fé, que aprendeu a esperar em Deus e que ele responde a orações.

Como ocorreu na vida de Abraão, Isaque também se casou com uma esposa estéril. Depois de vinte anos de casados, Isaque pediu a Deus que curasse sua esposa da esterilidade. Deus ouviu sua oração, e Rebeca deu à luz gêmeos (Gn 25.21). Como seu pai, Isaque se tornou um homem de fé. Ele entendeu que não se tratava de mérito individual, mas da graça de Deus. Isso é muito inspirador. Meditar parecia ser parte da espiritualidade de Isaque. A construção da frase em Gênesis 24.63, "enquanto caminhava e meditava", sugere a ideia de algo costumeiro em sua vida. Embora o texto não explicite em que Isaque fora meditar, o desenrolar de sua história e o fato de que uma esposa lhe fora buscada nos faz pensar que sua meditação estava relacionada com o que ele imaginava que Deus lhe reservava. Foi também pela graça de Deus que a aliança com Abraão foi renovada com Isaque:

> O Senhor apareceu a Isaque e disse: "Não desça ao Egito. Faça o que eu mandar. Habite aqui como estrangeiro, e eu estarei com você e o abençoarei. Com isso, confirmo que darei todas estas terras a você e a seus descendentes, conforme prometi solenemente a Abraão, seu pai. Farei que seus descendentes sejam tão numerosos quanto as estrelas do céu e darei a eles todas estas terras. Por meio de sua descendência, todas as nações da terra serão abençoadas. Farei isso porque Abraão me deu ouvidos e obedeceu ao que lhe ordenei: meus mandamentos, decretos e instruções". [...]
> Dali, Isaque se mudou para Berseba, onde o Senhor lhe apareceu na noite de sua chegada e disse: "Eu sou o Deus de seu pai, Abraão. Não tenha medo, pois estou com você e o abençoarei. Multiplicarei seus descendentes, e eles se tornarão uma grande nação. Farei isso por causa da minha promessa ao meu servo, Abraão". Isaque construiu ali um altar e invocou o nome do Senhor.
>
> Gênesis 26.2-5,23-25

Como fruto da intervenção de Deus em sua vida, Isaque "se tornou rico e influente" (Gn 26.13), e com isso Deus lhe deixava claro que ele, o Senhor, é provedor não apenas em assuntos espirituais, mas também em assuntos materiais. Isaque, contudo, cometeu os mesmos erros de seu pai, Abraão. Ele mentiu e em sua casa também houve favoritismo, que gerou sérios problemas. Rebeca, como Sara, foi dominante diante da passividade de Isaque. Era a história repetindo-se.

Neste ponto, o pastor Davi sugeriu um paralelo com a vida de Ruy e Rony. Embora não se mostrasse assim na igreja e no trabalho, em casa o pai dos jovens era mais distante, calado, alheio à esposa. Parecia-lhes passivo, levando a mãe a assumir o papel dominante, cenário comum também em muitas famílias. Se as causas não forem tratadas, as consequências podem afetar o casamento e a família de uma forma muito delicada, e estender-se por gerações até que um membro, o casal ou a família como um todo rompa o ciclo. Essa decisão, contudo, precisa ser tomada no poder de Deus, pois embora se prove benéfica para todos trará sofrimento àquele ou àqueles que a tomaram.

Isaque não lidou bem com os problemas que presenciara na vida de seus pais, e por isso deixa sua casa carregando algo inacabado e não tratado. Infelizmente, todos nós de uma forma ou de outra, quando saímos de casa, deixamos algo para trás, algo não tratado. É como se carregássemos um débito, ainda que algumas vezes um débito falso, mas que nos acompanha por um tempo ou até a vida toda. Deus, em sua graça, permite que algumas dessas questões não tratadas no passado venham à tona para que ele possa tratá-las dentro de nós. Todos viemos de famílias imperfeitas, mas todos temos acesso, por meio de Jesus, à graça perfeita de Deus, que nos cura e sempre nos proporciona recomeços. O Deus que proveu um cordeiro na vida de Isaque é o mesmo Deus que provê esperança e cura para os problemas das famílias.

Os problemas na família de Isaque

Favoritismo, mentira, precipitação, distância emocional entre cônjuges, manipulação. Todos esses traços estão presentes na família de Isaque. Mas não apenas nela, são também um retrato de famílias do século 21. Abraão e Sara viveram às voltas com alguns deles, e embora tenham deixado um legado de fé para o filho, este deixou a casa dos pais com dificuldades não resolvidas, que se repetiram em sua vida e em sua família. Alguns traços da vida de Isaque com os pais nos ajudam a entender seu comportamento futuro na vida conjugal.

Primeiro, ele foi gerado milagrosamente, quando os pais já eram idosos, e, como se sabe, quanto maior a diferença de idade entre pais e filhos, mais os pais desejam proteger os filhos, repassando-lhes nesse processo seus medos e suas inseguranças. Na cultura oriental, um jovem se casava em torno dos 13 aos 20 anos.[1] Isaque se casou aos 40, três anos depois da morte de sua mãe, Sara. Por que teria esperado tanto? Tendo sido o filho da velhice de Abraão e Sara, e o preferido entre ele e Ismael, é natural que Isaque houvesse desenvolvido em relação à mãe uma profunda ligação, que mais tarde talvez o tenha afetado. Uma possível evidência encontra-se em Gênesis 24.67, que menciona, como consolo pela morte da mãe, seu casamento com Rebeca. Sara havia protegido o filho biológico diante de Ismael, e ao longo de 37 anos talvez sua influência sobre o filho tenha derivado para superproteção. E sabe-se que filhos de pais superprotetores geralmente se tornam inseguros ou mesmo agressivos.[2]

Entretanto, é importante lembrar que, sendo Isaque adulto, o problema já não era de Sara, mas dele próprio. Tanto em famílias da Bíblia como nas atuais, um erro drástico pode ocorrer: culpar outro pelo que fazemos de errado, e assim, por não querer assumir ou reconhecer o erro, o problema se perpetua. É mais fácil culpar alguém, pois nos exime da responsabilidade de colaborar para a solução dos problemas familiares. Mais uma vez, isso tudo contribui para comportamentos futuros repetitivos ou opostos, a fim de compensar as dores das perdas das benesses que os filhos possuíam na casa dos pais.

Ainda que valiosas, essas benesses, se excessivas, tendem a gerar problemas.

O casamento de Isaque, conforme narrado em Gênesis 24, nos traz não só alguns princípios sobre como nos preparar e escolher um cônjuge, mas também alguns pontos de alerta. Note-se que Isaque não foi proativo na busca pela esposa. A iniciativa foi de Abraão, que estava preocupado com sua descendência e sabia dos planos de Deus para sua vida. Mas isso não ocorreu com Jacó, Esaú e outros jovens também inseridos na cultura oriental, o que corrobora a tendência passiva de Isaque. Talvez, em vez de tomar as rédeas de sua vida, Isaque tenha deixado sua passividade conduzi-la. Quando alguém que admiramos toma as rédeas de nossa vida ou quando as entregamos a ele, uma zona de conforto perigosa se instala, tirando-nos, muitas vezes, da dependência de Deus para agirmos por iniciativa ou força própria. Passamos a viver para agradar o outro, pois nos tornamos carentes de sua aprovação, esquecendo-nos de que é Deus quem pode suprir todas as nossas necessidades.

É no contexto de abençoar o filho mais velho, e não o mais novo, que se revela muito da passividade de Isaque e do comportamento manipulador de Rebeca. Mais que isso, a manipulação de Rebeca e a passividade de Isaque expõem o distanciamento emocional do casal, agravado pelo favoritismo evidente de Isaque por Esaú e de Rebeca por Jacó (Gn 25.27-28). Ao longo da história dos dois filhos, os traços dos pais se repetiriam, ciclo só rompido pelo toque da graça de Deus.

A passividade de Isaque e a manipulação de Rebeca

Podemos extrair algumas lições da passividade de Isaque e da manipulação de Rebeca. Lancemos um olhar sobre Gênesis 27.

Isaque se permite enganar passivamente, enquanto Rebeca, para satisfazer os sonhos que acalentava para seu filho predileto, demonstra toda sua astúcia em enganar o marido. A cena revela não só a passividade e a dominância no relacionamento, mas também a recorrência de eventos ocorridos na vida de seus antepassados.

A passividade masculina começa em Adão, ao omitir-se em socorrer Eva quando tentada pela serpente. Embora Adão estivesse muito perto de Eva ("estava com ela", Gn 3.6),[3] ainda assim não interferiu na conversa dela com a serpente. Maridos passivos em geral colocam a esposa, ou a família, em situações perigosas e devastadoras. Não necessariamente porque não gostam dela, mas porque se sentem impotentes para lidar com a situação, deixando, assim, a esposa desprotegida.

Por não ter intervindo na cilada criada por Rebeca para ele e para Esaú, Isaque contribuiu fortemente para abrir, no seio da família, uma profunda cisão, que viria a afetar o relacionamento dos irmãos por décadas. O ódio entre Esaú e Jacó, consequência da passividade e da manipulação dos pais, obrigou Jacó a fugir de casa.

Poderíamos nos perguntar por que Isaque teria sido tão passivo. Talvez não haja uma razão única. Talvez Isaque, sempre protegido pela mãe, nunca tenha tido de enfrentar situações decisórias delicadas ou contrárias à vontade de outros, optando por decidir segundo a vontade de sua mãe, independentemente do preço a pagar. Talvez lhe fosse mais conveniente não se indispor com a esposa, ou desagradá-la. O superprotegido tende a fugir de conflitos a fim de não se sentir desamado ou a ser agressivo a fim de esconder sua inaptidão ou demonstrar um falso poder.

Em contrapartida, se analisarmos a história de Isaque sob

outra perspectiva, talvez concluamos que ele nem sempre foi tão passivo como aparentava. Isaque era um homem de negócios, e homens de negócios muitas vezes assumem posições corajosas e difíceis. Em Gênesis 26.12-23, vemos que ele conseguiu enfrentar e administrar uma situação típica de pessoas de negócios quando os servos de Abimeleque tentaram apossar-se de seus poços. Por que, então, não interveio em sua casa e agiu como líder sobre Rebeca?

Isaque também ilustra homens do século 21. Na empresa, lidam muito bem com decisões difíceis, definição e alcance de metas, pressão financeira, elaboração e análise de relatórios, demissão e admissão de pessoal, mas no ambiente familiar refugiam-se em sua caverna. No desejo de conseguir descanso, um tempo de paz, jogam sobre a esposa as decisões do lar e da família, adotando um comportamento típico do homem cujo coração está centrado em si mesmo. Muitos permitem-se errar na empresa, mas não em casa. Por não desejarem o desgaste de assumir riscos que os façam se sentir ainda mais fracassados, optam pela omissão ou pelo isolamento. Esquecem-se do mandamento bíblico de amar a esposa como Cristo amou a igreja (Ef 5.25) e do fato de que ela precisa de sua atenção e intervenção, seja em dias fáceis, seja em dias difíceis.

Nessa linha de raciocínio, homens tendem a acomodar-se quando as decisões no lar se avolumam e podem gerar riscos, talvez não de grande monta, como ocorreria com a aquisição de bens de grande valor agregado, mas em coisas consideradas por eles menores, e que ferem a esposa. Coisas como, por exemplo, a falta de iniciativa do marido para disciplinar os filhos ou envolver-se com eles em alguma prática fora de casa, ou a omissão para planejar um tempo especial a sós com a esposa ou simplesmente ter paciência para ouvi-la quando ela, cansada de se expressar em linguagem infantil o dia todo, anseia pela chegada do marido para interagir como adulta.

A omissão dos homens e sua falta de envolvimento forçam as esposas a tomarem a iniciativa ou decisões que elas não gostariam de tomar sozinhas, o que acaba levando ao distanciamento e à deterioração da imagem do marido. A consequência dessa situação é a frieza da esposa na intimidade, uma vez que, para a mulher, a intimidade sexual não está dissociada da emocional. Nesse contexto de passividade masculina e de incompreensão feminina, ambos acabam feridos.

Embora apresente um componente psicológico, essa omissão do homem também tem um componente espiritual, dada sua dificuldade de assumir a responsabilidade que Deus lhe outorgou e sua incapacidade de confiar nesse Deus como provedor dos recursos necessários para que ele assuma seu papel. Portanto, nem sempre se deve tachar a omissão como um simples caso de má vontade do marido. Ele pode ter vindo de um lar em que a demonstração de amor do pai resumia-se a pagar as contas, por exemplo. Entretanto, se em contrapartida a esposa tiver vindo de um lar em que o pai era provedor, mas presente, protetor e assertivo, sem ser dominante, a expectativa dela será por um marido participativo. Ao forçá-lo, ela não só não obterá sucesso, como fomentará ainda mais a passividade dele. Nesse processo, a esposa assume a dominância perante o marido, e este se esquiva a fim de evitar conflitos, instalando-se o ciclo nocivo do erro.

Ainda que as raízes da passividade muitas vezes estejam no passado, isso não é desculpa para que vivamos presos a esse passado, sem mudanças. Stephen Arterburn diz com muita propriedade: "Uma das razões por que é difícil mudar é que realmente descobrimos certos benefícios em viver presos ao passado", e, "ao nos concentrar no passado, justificamos o ato de não assumir os riscos envolvidos em novos relacionamentos — relacionamentos que podem não sair tão bem e terminar em dor".[4] Em outras palavras, ainda que a passividade do marido possa trazer-lhe pseudobenefícios, ele não é capaz de imaginar seus efeitos colaterais danosos. Passividade no relacionamento matrimonial foge ao conceito bíblico de amar a esposa como Cristo amou a igreja (Ef 5.25).

No caso de Isaque, faltou-lhe coragem para amorosamente confrontar a esposa no evento da bênção. Rebeca vestiu o filho preferido com uma pele parecida com a de Esaú, levando o marido, passiva e inconsequentemente, a sucumbir à manipulação dela, e o resultado foi um cenário de mentira, valores errados e agravamento da distância emocional na família.

A questão aqui é: Isaque poderia ter revertido a situação? Podemos nós fazer o mesmo? Analisemos, antes, o lado de Rebeca.

Por mais que a passividade de Isaque possa ter sido o elemento causador do comportamento dominante e manipulador de Rebeca, isso não o justifica nem a isenta. Ela era responsável por suas ações, a despeito do comportamento do marido. Se não fosse assim, estaríamos transferindo para Isaque o problema de Rebeca. Foi dela a ideia de proteger o filho preferido de modo que ele não perdesse o privilégio de ser abençoado pelo pai, mesmo ciente de que o direito de primogenitura pertencia a Esaú.

Paralelamente, porém, lembremos que Deus já tinha dito a Rebeca que o mais velho serviria o mais novo (Gn 25.23). Tal declaração carregava a ideia de ascendência, portanto Rebeca não tinha de se preocupar, pois Deus já havia determinado que Jacó seria abençoado com a liderança da família. Ela só não soube esperar. Mais uma vez vemos aqui os conhecidos traços de nossa natureza: ansiedade e medo do futuro. Quando não sabemos esperar e agimos por conta própria, os frutos de nossas decisões são funestos.

Embora o pecado não esteja no sangue da família mas no coração de cada um, filhos e parentes observam o comportamento dos mais velhos, extraindo dele práticas boas e impróprias, ou até destrutivas. E problemas familiares não tratados se repetem.

Mas, então, o que levou Rebeca a adotar um comportamento dominante? O problema de Rebeca e de famílias de nossos dias reflete não apenas nossa cultura, mas nossa natureza. Conforme relatou o psiquiatra Pierre Mornell, citado em artigo do pastor Charles Swindoll: "Nos últimos anos, tenho visto em meu consultório um grande número de casais que compartilha algo em comum. O homem é ativo, articulador, vigoroso e bem-sucedido no trabalho, mas em casa é inativo, letárgico, distante e frio. Mantém um relacionamento passivo com a esposa, o que a enlouquece".[5]

Em suma, enquanto o homem tende à passividade, a mulher se inclina à manipulação. Embora Rebeca não se mostre tão "enlouquecida", aparentemente soube aproveitar a fragilidade do marido para enganá-lo poderosamente. Ela era uma mulher forte, talvez tão forte quanto a sogra, Sara, que ela não conhecera. Diante da hesitação de seus irmãos para deixá-la ir ao encontro de Isaque, seu futuro marido, por a considerarem muito jovem para o casamento, Rebeca mostrou-se resoluta em não retardar a partida (Gn 24.55-64). Não há nada de errado em a mulher mostrar-se forte. O problema se configura quando não sabe usar essa força nem esperar em Deus, especialmente quando ela reúne mais habilidades que o marido, e o motivo da omissão dele resida nessa sua inabilidade.

Todavia, como a passividade de Isaque, a manipulação de Rebeca e seu espírito dominante também apresentavam um componente espiritual. A exemplo de Sara, em vez de esperar a direção de Deus para o cumprimento de sua promessa, Rebeca se adiantou, provocando o desastre. Manipulação e dominação não convivem com o compromisso de esperar em Deus e de agir de acordo com as Escrituras. Esse compromisso não pode ser moldado por gostos pessoais ou pela cultura dominante, que nos incita a uma vida individualista e centrada no eu.

Nesses dois eventos na história dos patriarcas e esposas, a precipitação delas fica evidente, e a precipitação está associada à ansiedade de confiarmos em nós mesmos, em vez de confiarmos em Deus. Entretanto, como não temos o poder de Deus para agir, a ansiedade se transforma em desejo de controle. E controlar o impossível não é papel humano. Rebeca quis controlar o plano de Deus para Jacó. Não só isso, quis controlar o plano e o tempo divino para sua execução. Com certeza temeu não ver seu filho predileto assumir o papel que Deus havia planejado para ele, o que nos remete mais uma vez à ação de Sara com respeito a Ismael, Hagar e Abraão.

Se quisermos evitar erros semelhantes, precisaremos ficar atentos. Rebeca estava procurando o caminho de Deus, mas da forma errada. Faltou-lhe esperar em Deus ou pedir-lhe sua orientação, principalmente quanto à ansiedade e ao medo dela de não ver Isaque abençoar Jacó. Sua precipitação jogou sobre ela um peso que não podia carregar, daí o desastre funesto: mentira, ressentimentos, fuga, ofensas, distância emocional.

A boa notícia é que Deus sempre dispõe de cura para aqueles que desejam curar-se das emoções controladoras e da passividade oriunda do medo de ser incapaz.

Um casal emocionalmente distante

Nesse ponto da história de Rebeca e Isaque, provavelmente já se haviam passado mais de quarenta anos desde o casamento. Todo esse tempo de convívio conjugal já teria sido suficiente para o desenvolvimento da intimidade necessária para discutir problemas pequenos ou grandes, sensíveis ou corriqueiros. Mas a história se revela diferente. Havia um distanciamento emocional, e, quando um casal vive emocionalmente distante, problemas sérios não são tratados ou são permanentemente adiados na esperança de que se resolvam por si, o que, sabemos, nunca acontece.

Uma questão que nos desconcerta, e que também rondava a mente dos irmãos Ruy e Roni, é: o que causa esse distanciamento? Afinal, por que os pais deles não teriam conversado sobre as questões que tanto incomodavam a família? Com certeza não existe uma única causa, assim como um só dos cônjuges raramente é o único culpado. Quando Isaque foi ao encontro de Rebeca, o texto os descreve como um casal muito romântico: "Isaque a levou para a tenda de Sara, sua mãe, e Rebeca se tornou sua mulher. Ele a amava profundamente e nela encontrou consolação depois que sua mãe morreu" (Gn 24.67).

Casamentos costumam começar com um profundo nível de paixão. No entanto, se essa paixão, que deveria transformar-se em amor, não encontra respaldo, aos poucos o esfriamento acaba invadindo a relação. Às vezes, um dos cônjuges se torna impaciente para ouvir o outro ou quer mudar o jeito dele, que por sua vez, sentindo-se rejeitado, prefere esconder-se em si mesmo. Outras vezes, o cônjuge assume que o outro sabe que ele ou ela o/a ama e já não se preocupa em ser doce e amoroso, como na época do namoro, deixando assim que a frieza se instale no relacionamento. A isso, vão se somando os problemas do dia a dia de modo a minar a liberdade do casal para falar do que cada um sente, pois ambos temem a reação do outro. Aquelas longas conversas antes de dormir vão dando lugar a longas horas diante da TV ou do computador. O casal deixa de ir junto para a cama. A esposa perde o gosto por sexo, pois o marido, passivo, praticamente deixou o romantismo de lado. Por sua vez o marido, ao refugiar-se no isolamento, sem querer comunica para a esposa que ele já não se interessa por ela. Ainda que ele a deseje, seu silêncio e sua falta de afetividade bloqueiam aquele sentimento. Decisões difíceis deixam de ser discutidas para serem apenas comunicadas, e a sensação de alienação se apodera do casal.

Nesse ambiente, os filhos sofrem, pois sua fonte de exemplo começa a secar. Pouco se fala de frustrações, relatam-se apenas os fatos, omitindo-se os sentimentos. Os filhos não veem os pais falarem do que lhes causa sofrimento e, por acharem que os pais "nunca sofrem", consideram o sofrimento inaceitável. Não raro, faltam palavras de afirmação em momentos difíceis. Explosões de ira são condenadas, dada a impropriedade de expor sentimentos. Sentir é proibido, e se sentir é proibido, falar de sentimentos está completamente fora de cogitação. Assim, ao ouvir os filhos expressarem sentimentos negativos, os pais se sentem responsáveis, revelando uma falsa culpa. As circunstâncias que envolvem uma família emocionalmente distante abrem espaço para sentimentos de isolamento, perda de significado, abuso de substâncias químicas como drogas ou remédios, relacionamentos superficiais, depressão, pensamentos suicidas, e assim por diante.[6]

Embora na vida de Isaque e Rebeca esses traços não se fizessem presentes, por serem típicos do distanciamento emocional de nosso século, fica evidente que eles não falavam entre si daquilo que os incomodava em relação aos filhos. Como os pais, Esaú e Jacó viviam em mundos diferentes, um sintoma típico do distanciamento emocional que corrói o cerne de uma família. A aprovação dos filhos provinha de seu desempenho, e não do amor paterno ou materno. Esaú era amado por ser caçador, e Jacó por ficar em casa com a mãe (Gn 25.27-28). Como na família de Isaque, em muitas famílias hoje — e aqui se encaixa a família de Rony e Ruy — pouco se fala do que se sente. Não existe muito espaço para mencionar frustrações, apenas vitórias ou desempenhos de sucesso. O tempo em família é pouco cultivado. Aparentemente os membros temem se expor ou ser indagados sobre qualquer assunto.

Entretanto, há um ingrediente capaz de ajudar um casal a aproximar-se, em vez de separar-se ao longo do tempo: a ternura.[7] Quando um casal é terno entre si, todo assunto pode ser discutido, por mais delicado que seja, porque cada um tem a certeza de ser amado, o que lhe permite revelar-se completamente ao outro. Quem sabe tenha faltado essa ternura entre Isaque e Rebeca. Do contrário, em vez de usar de manipulação, talvez Rebeca tivesse buscado conversar com Isaque e expressado seu desejo de que Jacó recebesse a bênção do pai, como era plano de Deus. Havendo essa ternura, Rebeca teria tido a liberdade de contar a Isaque que Esaú já havia vendido a Jacó seu direito de primogenitura. E, por mais dolorosa que fosse, a verdade teria sobrepujado.

Igualmente, se tivesse havido da parte de Isaque a ternura de que Rebeca precisava, ele teria ouvido a esposa. Mais: se houvesse compreendido o que Deus dissera quando os bebês nasceram, teria ido com Rebeca consultar a Deus sobre os planos dele para Jacó. Atitudes como essas aproximam os casais, porque revelam a vulnerabilidade de cada um para que, juntos, busquem ajuda em Deus. A ternura abre mão do controle a fim de alcançar o bem maior para o casal: refletir a vontade de Deus.

Onde não há intimidade emocional, instala-se o medo da revelação mútua. A rejeição ou o desprezo por parte daquele a quem se ama é pior que a morte. A consequência disso é o recolhimento dos cônjuges em seu mundo particular, levando ambos a uma vida solitária, ainda que compartilhem o mesmo teto e o mesmo quarto.

Com esse pano de fundo, ainda restam algumas perguntas: seria Isaque tão senil a ponto de não desconfiar nem por um momento que estava sendo enganado, ou será que ele considerava mais fácil aceitar a manipulação a enfrentar um conflito? Paralelamente, será que Rebeca estava mesmo indiferente a sua atitude manipuladora e tão distante do temor de Deus a ponto de enganar o próprio marido, que quarenta anos antes a havia amado tão profundamente? A relação de Isaque e Rebeca poderia ter sido diferente?

Vejamos nas Escrituras como Deus pode transformar passividade em assertividade, e manipulação em amor e respeito, de modo que um casal possa viver emocionalmente satisfeito e ser proativo em suprir ternamente suas necessidades mútuas. Não significa, contudo, que o cônjuge suprirá todas as necessidades do outro. Somente Deus é capaz disso. No entanto, cada um dos cônjuges verá no outro a proatividade amorosa de descobrir o caminho para oferecer ao outro o que ele precisa.

Quando a graça invade um casal emocionalmente distante

A graça de Deus transforma distância em intimidade, manipulação em graça, passividade em ações assertivamente amorosas. Uma das formas mais poderosas de o homem lidar com sua passividade no lar é confessá-la. Quando o marido se omite, em vez de assumir no lar seu papel de líder sensível às necessidades da esposa, ele está fugindo das responsabilidades que lhe foram delegadas por Deus. E, por tratar-se do descumprimento da vontade divina, a passividade é pecado. Maridos passivos e emocionalmente distantes do cônjuge provocam, ainda, a ira da esposa, pois o papel marital de protetor e o ensino de amar a esposa como a si mesmo ficam comprometidos. Tiago 5.16 nos diz: "Portanto, confessem seus pecados uns aos outros e orem uns pelos outros para serem curados. A oração de um justo tem grande poder e produz grandes resultados".

Adão cometeu esse erro. Talvez sua omissão tenha se dado por medo de enfrentar um conflito direto com a serpente ou com a esposa, e seu papel de amar e proteger Eva tenha sido sobrepujado pelo medo da rejeição. Adão poderia ter evitado a queda se houvesse chamado Eva à parte e, juntos, tivessem buscado a presença de Deus para lidar com aquela pressão. Por isso, quando o marido age passivamente, expõe a esposa a um perigo desnecessário e que pode ser letal para ela e para a família. Além disso, como a atitude omissa está sempre acompanhada da altivez, é como se, ao omitir-se, o marido estivesse afirmando saber o que é melhor para a esposa. No entanto, nenhum marido que não dependa de Deus sabe o que é melhor para a esposa. É no contexto de amar a esposa como a si mesmo que a passividade masculina mais a agride, ou seja, quando a omissão é intencional.

Notemos que, embora seja importante o marido tentar descobrir o motivo de sua passividade, a Bíblia não ensina que precisamos saber a causa de nosso pecado para só então o confessarmos e mudarmos de atitude. Se a esposa mostra direta ou indiretamente ao marido seu desejo de que ele seja mais proativo ou assuma as responsabilidades do lar, ele deve recorrer a Deus em busca de ajuda. E tudo começa com uma atitude humilde de confissão. A cura da passividade exige que o marido confesse, primeiro, perante Deus e, então, reconheça sua falha perante a esposa, o que o coloca em uma posição de vulnerabilidade. Ele precisará perguntar-lhe como e em que a tem ofendido e falhado, pedindo-lhe ajuda para fazer mudanças. É essa atitude humilde e corajosa do marido que gera o contexto para que Deus transforme a passividade em intimidade, pois em sua vulnerabilidade o marido mostra à esposa suas fraquezas, dando início à mudança que os aproximará.

De um lado, o sucesso desse processo de reconstrução da intimidade perdida e de perdão da passividade do marido também depende de como a esposa se encontra em meio às circunstâncias. De outro, o marido também relutará dado o caráter doloroso desse processo para ele, pois significa abandonar a zona de conforto construída por ele ao longo de anos. Assim, voltamos ao ponto principal: o papel do marido é um mandamento divino que apenas no poder do Espírito Santo pode ser desempenhado de forma agradável a Deus.

Neste ponto, é fundamental compreender que amar a esposa não significa apenas presenteá-la, sempre concordar com ela ou ceder a seus desejos. Talvez isso seja o mais fácil. Amar a esposa implica ser terno e firme como Jesus. E somente pelo fruto do Espírito Santo o marido é capaz de satisfazer essa exigência, conforme aprendemos em Gálatas 5.22-25. Jesus foi amoroso e firme com Marta e Maria. Foi amoroso e firme com o apóstolo Pedro, e com outros ao longo de seu ministério. Entretanto, nunca foi rude, pois firmeza nada tem a ver com grosseria, gritaria ou autoritarismo. Tem a ver, sim, com assertividade. E assertividade carrega a exigência de ser verdadeiro, presente, envolvido e proativo em suprir, na dependência de Deus, as necessidades da esposa, o que inclui as dela própria e as da família.

No caso de Isaque, faltou-lhe enfrentar a realidade de seu lar no poder do Espírito. Rebeca errou, mas Isaque foi omisso. Talvez ele até tivesse sido superprotegido por Sara, mas isso era passado. Agora, como o homem da casa, havia chegado a hora de enfrentar os conflitos no poder do Espírito Santo, e não na própria força. Parte da maturidade na vida cristã desenvolve-se quando entendemos nossas fraquezas e reconhecemos que saímos da casa de nossos pais carregando certas dificuldades. Culpar os pais, porém, não resolve a situação. No poder do Espírito Santo, cada marido ou cada cônjuge é capaz de descobrir como viver a própria vida sem aquilo que gostaria de ter aprendido ou recebido em casa. Ao buscar em Deus, recebemos do Pai celestial o que deixamos de receber na família de origem.

Estou convicto de que Isaque percebia a distância de Rebeca, pois o amor nos faz enxergar, mas talvez lhe faltasse coragem para perguntar-lhe o motivo ou o que ela sentia depois de quarenta anos. Em geral, os homens receiam ouvir os sentimentos da esposa por medo de não serem capazes de entender ou resolver. Tendemos a esquecer que somos habitados pelo Espírito Santo, o mesmo Espírito que não nos deu uma atitude de covardia, mas de poder, amor e moderação. O marido deve admitir para a esposa sua inabilidade e ao mesmo tempo comprometer-se com ela a buscar em Deus os recursos para ser um marido mais sensível, amoroso e proativo, a fim de amá-la segundo a sua necessidade.

Talvez a pergunta seja como o marido pode mudar no poder do Espírito Santo. A resposta está na confissão de suas fraquezas e na compreensão de que mudanças não ocorrem do dia para a noite. Ao buscar a Deus e depender dele, o marido não só é capaz de compreender seu papel como líder e protetor do lar, mas também passa a agir como tal. Marido e esposa, então, crescerão nesse processo. A esposa também aprenderá a não atropelar as decisões, na expectativa de que o marido nunca mais falhe. Nessa história, uma coisa é certa: quando buscamos orientação de Deus em sua Palavra e nos propomos obedecer-lhe não por nossa própria força, mas na força de Deus, mudanças ocorrem. Jesus foi claro: "Pois, sem mim, vocês não podem fazer coisa alguma" (Jo 15.5; ver Fp 4.13). Em contrapartida, quando o marido se esconde no passado para justificar suas omissões e sua indisposição de mudar, ele está dizendo indiretamente que Deus não tem o poder de mudá-lo.

Deixar pai e mãe, portanto, não significa apenas sair da casa em que fomos criados. Deixar pai e mãe significa abandonar o modelo de vida não benéfico da família de origem e abraçar a nova família, buscando amá-la de modo a refletir Jesus. Amar a esposa e a família de forma a refletir Jesus é ser capaz de comunicar-lhes esse amor. E uma das formas mais básicas de amar a esposa é liderá-la amorosa, terna e firmemente, fugindo da passividade.

Quando jovens se casam, uma nova maneira de pensar deve ser construída. Até o dia do casamento, o jovem marido era um receptor do amor dos pais. Mesmo adulto, era cuidado, protegido e amparado. Mas, quando sai de casa, ele passa a ser um doador. O foco relacional já não pode ser "eu, eu mesmo ou a mim", em vez disso passa a ser "a esposa e eu". Significa sair da passividade do ser cuidado para abraçar a proatividade do cuidar, mesmo que ele não tenha tido esse exemplo em casa.

Então, como Isaque poderia ter lidado com a atitude manipuladora de Rebeca? Mencionamos anteriormente que essa atitude revela um problema espiritual. Rebeca tinha predileção por Jacó. Talvez porque ele lhe desse a atenção que faltava em Isaque. Aparentemente, Jacó gostava de ficar mais em casa, com a mãe, enquanto Esaú era um caçador, um guerreiro (Gn 25.27-28). Olhando a situação, era natural que Rebeca quisesse proteger o filho favorito, pois a bênção do pai significava receber a maior parte da herança, e Isaque era muito rico. De acordo com o costume da época, Esaú receberia cerca de três quartos da fortuna do pai além de tornar-se o líder da família ou do clã, ocupando uma espécie de função sacerdotal. E naturalmente Rebeca desejava isso para Jacó.

Entretanto, Deus já tinha dito a Rebeca que Esaú serviria Jacó, pois ele sabia que Esaú desprezaria seu direito de primogenitura em troca de um prato de sopa. Esaú não apresentava o perfil de homem que Deus desejava para que seus planos fossem cumpridos. O problema é que, em vez de confiar em Deus, Rebeca "mexeu seus pauzinhos", cometendo o mesmo erro de Sara. Quis controlar o que somente Deus é capaz de controlar. Ela se apressou, feriu o marido, separou a família e gerou uma profunda mágoa entre os filhos. Isaque, por sua vez, em sua passividade, contribuiu para a dominância ou a manipulação da esposa.

Quando a mulher assume as responsabilidades que cabem ao marido, ela está ao mesmo tempo afirmando a irresponsabilidade dele e demonstrando sua incapacidade ou decisão de não confiar em Deus como aquele que cuida da casa e dela. Querer controlar a casa é um duplo sinal dado pela esposa. Primeiro, é como se ela estivesse gritando para que o marido assuma seu papel. Ainda que Deus também tenha concedido às mulheres o dom de liderança, uma vez que a dádiva dos dons não está limitada ao gênero, uma mulher com dom de liderança pode aprender a ser liderada pelo marido que não é forte como líder. Ela precisa entregar essa responsabilidade na mão de Deus e ao mesmo tempo perguntar-lhe como ela pode usar seu dom em casa, ainda que sob a liderança de um marido mais passivo. Quanto a ele, deve respeitar e amar a esposa para que ela possa respeitá-lo. Deus fez a mulher de modo que o amor do marido por ela lhe inspire segurança e, segura, ela se submeta ao marido, como ao Senhor (ver Ef 5 e seu contexto).

O segundo sinal é: "Eu sei como gerir melhor a família". E, a exemplo de Eva, o orgulho subiu-lhe ao coração. Rebeca poderia ter compartilhado com Isaque suas preocupações quanto ao perfil de Esaú como futuro líder da família, pois havia demonstrado que sua vida era regida por valores passageiros. Esaú vendeu parte considerável de sua futura riqueza por um prato de sopa.

Em contrapartida, talvez Rebeca possa ter pensado que Esaú fosse o predileto de Isaque e, dada a distância emocional entre o casal, que talvez fosse melhor ela agir, mesmo que de modo manipulador. No entanto, ainda que ela temesse não ser ouvida por seu marido, poderia ter ido diretamente a Deus. Mulheres manipulam quando têm medo de não receber o que gostariam. Tomam atitudes sem consultar a Deus, especialmente porque sabem que, se o consultarem, ouvirão algo como: "Espere, confie em mim". Todos temos dificuldade para esperar em Deus, por isso preferimos assumir o controle da situação. O problema é que assumir o controle de uma situação cuja mudança não está em nosso poder é desejar ser como Deus. E querer ser como Deus é sinal de orgulho. Por isso, Satanás caiu do céu.

Não podemos condenar esposas de maridos passivos. Em vez disso, precisamos acolhê-las e ao mesmo tempo encorajá-las a trazer perante Deus a ansiedade que sentem por mudanças repentinas em seu marido. A pessoa manipuladora precisa deixar que sua mente seja moldada pela Palavra de Deus, que nos diz: "Não vivam preocupados com coisa alguma; em vez disso, orem a Deus pedindo aquilo de que precisam e agradecendo-lhe por tudo que ele já fez. Então vocês experimentarão a paz de Deus, que excede todo entendimento e que guardará seu coração e sua mente em Cristo Jesus" (Fp 4.6-7).

Precipitação, manipulação e orgulho andam juntos no quadro de ansiedade. Sara estava ansiosa para ser mãe, e manipulou Abraão para ter relações sexuais com Hagar. Rebeca estava ansiosa para que seu filho predileto não perdesse a herança e a liderança familiar, e agiu precipitadamente. Por isso, mais que perder a alegria de ver Jacó assumir o papel que Deus lhe reservara, presenciou a partida do filho, como fugitivo, para nunca mais reencontrá-lo. Gênesis 27.42-43 mostra sua dor:

> Quando Rebeca soube das intenções de Esaú, mandou chamar Jacó e lhe disse: "Ouça, Esaú se consola com planos para matar você. Portanto, preste atenção, meu filho. Apronte-se e fuja para a casa de meu irmão Labão, em Harã. Fique lá até que diminua a fúria de seu irmão. Quando ele se acalmar e se esquecer do que você lhe fez, mandarei buscá-lo. Por que eu perderia meus dois filhos no mesmo dia?".

A manipulação não tratada nos cega. Embora tivesse sido Rebeca quem arquitetara a trama para que Jacó recebesse a bênção do pai, fala como se Jacó fosse o autor do conflito: "Quando ele se acalmar e se esquecer do que *você lhe fez*, mandarei buscá-lo". Sim, Jacó fora cúmplice, passivo e insensível, mas Rebeca não assumiu sua parte do erro. Sem confissão e arrependimento, não existe perdão de pecados.

Da mesma forma que o marido passivo deve admitir sua passividade como pecado, a esposa dominante precisa admitir seu pecado perante Deus e, então, abrir mão de agir como gostaria deixando o marido tomar a iniciativa que lhe cabe, mesmo que isso implique um alto custo. Ao agir assim, ela transfere para Deus a responsabilidade de tratar seu marido e tira de si mesma o fardo de querer mudar o cônjuge. E isso só é possível no poder do Espírito.

Esse mesmo problema pode ter ocorrido na vida da família de Rony e Ruy. O pai deles não quis pedir a opinião da mãe porque ela discordaria dele, e ela, por sua vez, se sentiria impotente para travar uma discussão, preferindo agir autoritariamente. Embora a esposa tivesse todo o direito de discordar do marido e colocar sua opinião, se ele não a quisesse ouvir, ela poderia ter entregado a situação na mão de Deus. Esperar em Deus para as mudanças exige coragem, humildade e paciência.

Controle traz prazeres passageiros. Eva encantou-se com a possibilidade de ser igual a Deus e assim, sem consultar o marido nem a Deus, caiu em pecado. Rebeca teve o prazer passageiro de ver o marido abençoar Jacó, seu filho predileto, mas o fruto que ela colheu foi o ódio entre os filhos, os anos sem reencontrá-los e a solidão que a tomou após a partida do filho predileto. Rebeca perdeu a oportunidade de demonstrar a Isaque sua submissão ao poder de Deus, e Isaque perdeu a oportunidade de ser assertivo e amoroso em relação a Rebeca, liderando-a espiritualmente ao conversar com Deus sobre o impasse que enfrentava.

As Escrituras nos ensinam algumas práticas encorajadoras sobre como a assertividade do marido e a submissão da esposa podem ser nutridas de modo que o casal viva bem a despeito de suas diferenças. A primeira prática, já mencionada, é a da ternura entre o casal. Marido e esposa nunca serão perfeitos e nunca deixarão de ter alguma desavença, mas sempre podem desenvolver uma atitude mutuamente amorosa, seja elogiando, apreciando, seja reconhecendo as boas ações do outro. Quando o marido tem uma atitude proativa e constante de apreciação da esposa, e esta por sua vez reconhece o esforço dele, ambos criam um ambiente de mútua afirmação. Eles não precisam mentir. Se um agir de modo a desagradar o outro, este precisa ter a liberdade de expressar, sem agressões e depreciações, seu desagrado. Essa prática gera o que chamamos de ambiente de ternura, que solidifica a intimidade emocional. E é isso que o apóstolo Paulo nos diz em Efésios 4.29: "Evitem o linguajar sujo e insultante. Que todas as suas palavras sejam boas e úteis, a fim de dar ânimo àqueles que as ouvirem" (ver Pv 25.11).

Marido e esposa também precisam cultivar a vulnerabilidade. Precisam aprender a compartilhar entre si e até com os filhos o que os preocupa ou fere. Os filhos precisam ver que os pais são pessoas normais, que têm seus dias de tristeza, impaciência, dor e confusão. Se os filhos não ouvirem sobre as dores dos pais, desenvolverão a falsa ideia de anormalidade ao ver os pais em situações como essas, pois afinal os pais sempre "estão bem". Pais, filhos, cônjuges e irmãos precisam conviver num ambiente em que as frustrações são comunicadas, ouvidas e tratadas. Assim, quando a esposa vê o marido falhar em seu papel de líder da família, ela poderá abrir o coração e expressar-lhe seus sentimentos, sem agredi-lo. Da mesma forma, se o marido vir a esposa tomar iniciativas manipuladoras, poderá expressar-lhe seus sentimentos, e assim tratarem o problema em um ambiente de ternura, amor e respeito mútuo.

Em sua conversa com Rony e Ruy, o pastor Davi confessou que um dia ele também fora confrontado por um de seus filhos, que dizia invejá-lo porque ele sempre estava bem, nunca tinha um dia difícil, chegava em casa sempre cantando e assobiando. Aquele comentário marcou a vida do pastor, pois descobriu que estava sendo um bom farsante. É claro que ele tinha dias difíceis, muitas vezes desanimadores, mas nunca deixava transparecer. Sua vontade era ser um superpai, fazendo todos em casa se sentirem bem. Logo percebeu, porém, que involuntariamente estava criando uma distância emocional ao não permitir que enxergassem sua vulnerabilidade. Naquele dia, o pastor Davi admitiu suas falhas para sua família, e isso foi o início de uma mudança dentro dele. Permitiu que eles vissem que ele era normal e carente da graça de Deus. Mas para isso também precisou admitir seu orgulho e autossuficiência, pois embora ao agir daquele modo desse a impressão de não precisar da ajuda de ninguém, na realidade precisava e precisa. Cada membro da família precisa.

Sim, os pais falham, mas isso não significa que sejam os piores pais do mundo. Os filhos, por sua vez, precisam aprender que em Jesus podem superar os problemas que trouxeram de sua família de origem. Ao sair de casa, levamos conosco práticas saudáveis e não tão saudáveis aprendidas com nossos pais. Apesar de sua passividade, Isaque era um homem de fé e deu continuidade àquilo que Deus havia prometido através de Abraão: "Pela fé, Isaque prometeu bênçãos para o futuro de seus filhos, Jacó e Esaú" (Hb 11.20). Deus, por sua graça, nunca nos rejeita e está sempre pronto a fazer de nós instrumentos de bênção. Basta que sejamos honestos com ele, e ele transformará os traços negativos herdados em fonte de bênção para a nova geração.

Isaque teve suas falhas como marido e pai, mas essa não é toda a história. Ele continuou a ser parte dos planos de Deus para criar uma grande nação. E Deus tem planos para usar-nos apesar da bagagem negativa que carregamos. Os planos de Deus nunca são frustrados. Seu poder se fez presente na vida de Jacó, como sua história mostra.

Por isso, ao concluir seu encontro com Rony e Ruy, o pastor Davi enfatizou que os filhos devem honrar seus pais e orar por eles, exercitando o encorajamento, elogiando suas atitudes positivas e mostrando, em amor, suas atitudes negativas. Uma coisa é certa: todos podem evitar os erros dos pais em suas futuras famílias se primeiro os perdoarem pelo modelo que talvez estejam comunicando. Quem sabe eles nunca tenham tido um modelo sadio de relacionamento. Por isso é importante contribuir para as conversas familiares, compartilhando o que nos alegra e o que nos frustra. Mostrar-nos vulneráveis e não cobradores. Deixar Deus trabalhar em nossa vida e na de nossos pais. Lembrar que, quando há ternura, reconhecimento de erros e busca de crescimento, Deus transforma cônjuges passivos ou dominantes em cônjuges íntimos, que vivem em amor, apesar da natureza pecaminosa.

3
Famílias sem limites, filhos selvagens: A família de Jacó

....

Favoritismo gera frouxidão, mas a graça de Deus põe limites amorosos que geram esperança para famílias imperfeitas.

Quem despreza a disciplina acabará em pobreza e vergonha; quem aceita a repreensão será honrado.

Provérbios 13.18

O pastor Davi não esperava que Ruanita, a filha mais velha de Raul e Roberta, e irmã de Rony e Ruy, viesse conversar com ele, uma vez que, aparentemente, ela possuía algum tipo de restrição com figuras de autoridade. Mas o tom acolhedor do pastor a fez baixar um pouco a guarda. Embora ela se mostrasse forte, era nítido para o pastor o grito sufocado por ajuda e compreensão. Não demorou muito, porém, para que Ruanita deixasse clara sua aversão a pastores, por julgá-los autoritários e cheios de regras, segundo ela insuportáveis e que a faziam lembrar-se do pai. Contudo, para livrar-se da insistência dos irmãos, ela havia concordado com esse encontro pastoral.

A conversa deles logo revelou que, ao contrário dos irmãos, ela não desejava uma família perfeita. Na sua visão, ela nem sequer possuía uma família. Após um momento de silêncio, ela afirmou, em lágrimas, não saber se de fato pertence àquela família. Se era mesmo filha biológica ou fruto de um caso extraconjugal de um dos pais. Havia muita inconstância no tratamento que principalmente o pai lhe dispensava. Ora amoroso, ora rude, ora passivo. Ainda que ela os desrespeitasse, eles continuavam a tratá-la como se fosse filha única, gerando um sentimento de mágoa nos irmãos, por se sentirem ignorados pelos pais. Desnorteada, viu-se arrastada para a dependência química e um aborto, pelo que se sentia culpada diante de Deus. Ao que parece, os pais desconheciam esses fatos ou fingiam não saber. Já os irmãos, desconfiados, muitas vezes a agrediam emocionalmente, o que a fazia sentir-se odiada.

Todavia, diante do ambiente de aceitação, carinho e acolhimento proporcionado pela reação do pastor Davi a sua história, Ruanita foi se acalmando. Os irmãos haviam falado sobre os encontros que tiveram com o pastor e sobre as histórias que ele lhes contara acerca de famílias na Bíblia que também sofreram por seu desajuste, e isso a levou a ter esperança para o futuro, a despeito de seu passado.

O pastor então resolveu contar-lhe a história de uma família da Bíblia que guardava muitas semelhanças com a dela, uma história que fala de um filho favorito que era odiado pelos irmãos.

A família de Jacó

Jacó é citado em Hebreus 11, na chamada galeria da fé: "Pela fé, Jacó, prestes a morrer, abençoou cada um dos filhos de José e se curvou para adorar, apoiado em seu cajado" (Hb 11.21). Isso significa que, a despeito dos problemas de família e dos deslizes cometidos que lhe causaram grande sofrimento, a relação de Deus com ele não mudou. E isso é fruto da graça de Deus, que renovou com Jacó a aliança feita com Abraão e transmitida para Isaque, seu pai:

> No topo da escada estava o Senhor, que lhe disse: "Eu sou o Senhor, o Deus de seu avô, Abraão, e o Deus de seu pai, Isaque. A terra na qual você está deitado lhe pertence. Eu a darei a você e a seus descendentes. Seus descendentes serão tão numerosos quanto o pó da terra! Eles se espalharão por todas as direções: leste e oeste, norte e sul. E todas as famílias da terra serão abençoadas por seu intermédio e de sua descendência. Além disso, estarei com você e o protegerei aonde quer que vá. Um dia, trarei você de volta a esta terra. Não o deixarei enquanto não tiver terminado de lhe dar tudo que prometi".
>
> Gênesis 28.13-15

Apesar da promessa de Deus, nem tudo na vida de Jacó foi esplêndido. Por causa do ódio de seu irmão pelo episódio da bênção, Jacó precisou sair do aconchego da família e fugir para a casa do tio, distante cerca de 750 quilômetros. Lá viria a enfrentar muitos problemas oriundos de suas más escolhas, e não necessariamente de uma intervenção punitiva de Deus, que muitas vezes nos deixa arcar com as consequências de nossos pecados. No entanto, quando a ele nos submetemos, ele nos resgata por sua infinita e reconstrutora graça.

A vida de Jacó reflete o significado de seu nome, cujo som em hebraico é semelhante ao dos termos para "calcanhar" e "enganador" (Gn 25.26). Era enganador e agarrou o calcanhar não apenas de seu irmão, mas também de uma de suas esposas e de Labão, seu sogro e tio. No caminho rumo à casa de Labão, Deus procurou Jacó e o conduziu a uma experiência inesquecível, preparando-o para o futuro. Ao adormecer, Deus se revela a ele em sonho, e Jacó faz uma promessa. Se Deus o protegesse em sua jornada, ele lhe prestaria culto naquele lugar, que ele chamou de Betel, casa de Deus (Gn 28.10-22). Por sua graça e amor incondicional, Deus o protegeu, mas não o livrou das intempéries e da disciplina divina.

Quando falamos da vida de Jacó, vêm-nos à mente muitos fatos que nos levam a pensar como Deus pode amar alguém como Jacó e cuidar dele:

- Jacó roubou do irmão o direito de primogenitura, enganando o próprio pai ao passar-se por Esaú (Gn 27.1-29).
- Jacó tornou-se alvo do ódio de seu irmão, fruto do esquema traiçoeiro armado com a mãe (Gn 27.41-46).
- Jacó se viu no meio de uma guerra com o povo de Siquém por não estabelecer limites para os próprios filhos (Gn 34.5).
- Em um ato sanguinário, incompatível e exagerado, Simeão e Levi, filhos de Jacó, vingaram a irmã, Diná, estuprada pelo filho do rei de Siquém (Gn 34.25-26).
- Jacó não repreendeu devidamente os filhos pelo ato cometido, limitando-se a fazer uma observação passiva (Gn 34.30).
- Jacó não repreendeu seu primogênito, Rúben, por deitar-se com sua concubina (Gn 35.22).
- Ao gerar favoritismo no lar, Jacó perpetuou o erro de seu avô Abraão, que a princípio preferira Ismael, e de seu pai, Isaque, que se focara em Esaú (Gn 37.1-4).
- Sob pressão, Jacó mostrou-se tão passivo quanto seu pai e seu avô.

Ao ler essa lista de problemas na família de Jacó, talvez alguém possa dizer, aliviado, que sua família enfrenta menos problemas. A Bíblia não esconde as mazelas do ser humano, por isso ela é tão relevante. Ela não esconde nossos problemas, em vez disso os revela e nos aponta a solução, concedendo-nos esperança. Embora Deus possa permitir problemas ou catástrofes, em sua mão eles se tornam instrumento de cura. Foi justamente o que aconteceu com Jacó. Como seu pai e seu avô, Jacó cometeu o pecado da passividade, da mentira e do favoritismo, e deixou de estabelecer limites para os filhos.

Mas, um dia, uma mudança ocorreu.

O problema do favoritismo em Jacó

Não temos como negar: em certas famílias, alguns filhos têm mais privilégios que outros. Não necessariamente porque os pais amem um filho ou uma filha mais que os demais, mas porque cada um é diferente, e por serem diferentes recebem tratamento diferente. Essa diferenciação pode ser entendida pelos demais filhos como diferentes graus de amor, quando nem sempre é esse o caso. O filho "preferido" pode apresentar alguma condição especial ou ter mais afinidade com um dos pais. O problema se instala quando o favoritismo é claro e evidente, o que acaba gerando conflitos nos relacionamentos familiares. Foi o que ocorreu entre Jacó, José e os outros onze filhos:

> Este é o relato de Jacó e sua família. Quando José tinha 17 anos, cuidava dos rebanhos de seu pai. Trabalhava com seus meios-irmãos, os filhos de Bila e Zilpa, mulheres de seu pai, e contava para seu pai algumas das coisas erradas que seus irmãos faziam.
>
> Jacó amava José mais que a qualquer outro de seus filhos, pois José havia nascido quando Jacó era idoso. Por isso, certo dia Jacó encomendou um presente especial para José: uma linda túnica.
>
> Gênesis 37.2-3

O texto nos diz claramente que Jacó amava José mais que qualquer outro de seus filhos. Aqui não se tratava de necessidades especiais ou afinidade. Está claro que Jacó fazia distinção entre José e seus irmãos. Ter feito uma túnica para José mostrou a preferência do pai e o valor que esse filho tinha para ele. Alguns estudiosos acreditam que a túnica simbolizava a concessão da herança familiar e que, com esse ato, Jacó estava preterindo Rúben, o primogênito, como líder da família. De certo modo, na visão de Jacó, José também era um primogênito, pois era o primeiro filho de Raquel, sua esposa favorita. Mesmo sob essa ótica, porém, teria faltado da parte de Jacó comunicar a seus filhos que estava tirando essa função de Rúben e entregando-a a José.

De onde teria vindo esse aprendizado de Jacó? Sabemos que os filhos aprendem ouvindo e observando o comportamento, bom ou ruim, dos pais, e ele é passado de geração a geração. Esse ciclo precisa ser rompido para evitar reações nocivas por parte de membros da família. O grito preso na garganta deles, como estava no de Ruanita, pode manifestar-se de diferentes formas, como agressividade ou dependência química, cuja intensidade revela a gravidade do problema. A família precisa identificar se se trata de uma questão isolada daquele indivíduo ou se é o sistema familiar que está se deteriorando. Todavia, mesmo em situações como essas, vemos a mão de Deus. Ele pode permitir que o caos se instale para que os problemas familiares sejam tratados e a família possa encontrar o caminho da cura emocional e relacional.

A repetição de certos comportamentos aprendidos em nossa família de origem é um desafio para a nova família. Isaque e Jacó, como já vimos, herdaram de Abraão a atitude de fé, mas também seus erros. O favoritismo trouxe graves problemas à família de Jacó. Primeiro, o texto diz que os irmãos de José o odiavam por não serem tão amados como seu irmão. Segundo, esse ódio fez surgir uma rivalidade tal entre os irmãos que eles nem conseguiam conversar com o caçula da família. A descrição em Gênesis 37.4 é muito triste: "Não eram capazes de lhes dizer uma única palavra amigável". Ao ódio e à rivalidade somou-se a inveja, tudo devido principalmente ao favoritismo que caracterizava essa família. A rivalidade gerou um distanciamento emocional na família, como ocorrera entre Isaque e Rebeca, pais de Jacó.

Mais tarde, outro incidente doloroso. Os irmãos tramaram matar o próprio irmão, José. No entanto, pela graça de Deus, Rúben, o mais velho, desfez a trama, embora não tenha impedido que o vendessem como escravo (Gn 37.21-28). A fim de se protegerem da ira do pai, os irmãos inventaram a história de que José havia sido devorado por um animal selvagem (Gn 37.29-36). Nessa cena, encontramos traços comportamentais aprendidos ao longo de três gerações: mentira, precipitação, favoritismo, passividade.

A relação entre José e seus irmãos era de exclusão. José não se sentia parte da família, e assim seus irmãos o tratavam. Quando o contexto da família é de exclusão, a unidade familiar é esporádica ou inexistente. Não existe intimidade na família. Cada um vive por si e para si.

Sentir-se excluído do contexto em que mais se espera ser amado dói no corpo e na alma. Na família de Abraão, Hagar e Ismael sofreram com o favoritismo de Sara por Isaque. Esse favoritismo não tratado não só levou Hagar e Ismael a se sentirem excluídos, como também causou sua expulsão da família. Jacó sofreu por não ser o favorito de seu pai, e agora onze de seus filhos viam-se às voltas com o mesmo problema.

Alguns dos traços familiares passados de geração a geração são expressos interna e externamente. O excluído tende a se fechar, a não falar com ninguém, carregando sozinho esse fardo. Em contrapartida, os que o excluem agem autoritariamente, de modo que aquele que se sente deixado de lado não tenha força para falar. Em algumas famílias, o excluído é muitas vezes ensinado, clara ou sutilmente, a não falar sobre suas dores. Falar de exclusão gerará nos responsáveis mais dor, culpa e negação. Não vemos na família de Abraão e de Isaque nenhuma iniciativa dos excluídos ou dos que os excluíram para criar um ambiente capaz de permitir que as dores emocionais fossem comentadas. Em parte, por isso os problemas se repetiram.

Outra forma de lidar com o sentimento de exclusão é o ataque a algum membro da família. Jacó atacou seu pai sorrateiramente. Ao reagir com passividade à proposta de sua mãe de vestir-se como Esaú, Jacó de certa forma estava atacando seu pai e gritando: "Eu estou aqui e você não me vê?". Assim também, os irmãos de José o atacaram em vez de lidar com suas dores, com o ódio, a inveja e o sentimento de exclusão. Ao atacar José, estavam atacando o pai. O problema não era José, mas o que carregavam dentro deles próprios. Eles não tinham o poder de mudar o pai, mas tinham a possibilidade de ter o coração transformado para amar o pai, apesar das circunstâncias. Tinham a possibilidade de perdoar o pai e de amar o irmão, que em última análise não tinha culpa de ser o filho favorito.

A atitude de Jacó com José e os demais filhos se deve ao fato de que todos nós somos pecadores. E o pecado nos inclina a satisfazer os próprios desejos, como encontramos em Tiago 4.1-3. Jacó não queria enfrentar um caos na família, caos esse para o qual ele havia contribuído. E por não querer demonstrar sua vulnerabilidade optou por ignorar o que estava acontecendo. De certa forma era o que Ruanita via em sua família: a distância relacional, a mãe ignorada, a falta de iniciativa do pai. Mas essas histórias não terminam assim. Deus pode promover mudanças, e elas podem vir por meio dos filhos magoados.

Não havia nada condenável em Jacó dar atenção especial a José, pois era o filho de sua velhice e o primogênito de sua esposa preferida. O problema era que, ao agir assim, inconscientemente gerava conflitos na família, provocando a ira dos outros filhos. No fundo, ele estava preocupado em satisfazer um desejo pessoal, sem pensar no que sua atitude custaria aos demais filhos. Muitos pais realizam seus sonhos nos filhos, causando nestes, muitas vezes, um sentimento de revolta. Nem sempre os sonhos dos pais para os filhos são os sonhos dos próprios filhos. Ou os sonhos de Deus para esses filhos. Embora José não tivesse como lidar com a situação criada pelo pai, poderia ter rompido esse ciclo ao lidar consigo próprio.

Ainda que os filhos se deem conta do favoritismo por parte de um dos pais, a distância entre os pais acaba muitas vezes desnorteando os filhos. O vaivém de permissividade e a ocultação de fatos referentes ao passado causam dor e insegurança na família. Mas, a exemplo do que ocorreu com Jacó, Deus não deixa nossa vida à deriva em meio a um mar revolto. Ele sabe o que ocorre e ocorrerá na vida de cada um de nós, como sabia o que aguardava Jacó.

Precisamos reservar tempo regularmente para falar com Deus sobre o que nos aflige: incompreensão sobre nosso passado, dúvida de filiação, sentimento de exclusão ou o que for. Nesse tempo a sós com Deus, podemos derramar-lhe nossa alma, pedir-lhe que nos capacite a perdoar nossos pais e irmãos. Não temos o poder de mudar nossa história, mas

Deus nos capacita a torná-la uma história plena de sua graça, que nos traga satisfação e nos leve a encorajar as pessoas. Sob sua orientação, podemos falar com aqueles que nos afligem. O erro deles muitas vezes está relacionado com a inabilidade de lidar com certas realidades da vida. Talvez se sintam culpados ou tenham crescido em um ambiente em que certos assuntos não podiam ser discutidos. Mas Deus sempre trata a família como um todo. Ele quer sempre reconstruir não apenas o membro infeliz da família, mas todos os seus membros, de modo que a família, em vez de esfacelada, possa sentir-se inteira. Deus "cura os de coração quebrantado e enfaixa suas feridas" e "se agrada dos que o temem, dos que põem a esperança em seu amor" (Sl 147.3,11).

É na constante presença de Deus que nosso interior vai sendo modificado e nossas dores vão sendo curadas. Tanto Jacó como José sofreram devido aos danos oriundos do favoritismo na vida familiar, seja por se sentirem odiados, seja por se sentirem excluídos. José poderia ter aberto o coração para o pai e expressado seus sentimentos, mas nem sempre os pais estão abertos a ouvir os filhos ou entender seus sentimentos. Em contrapartida, também os filhos nem sempre estão prontos ou abertos a ouvir sobre os sentimentos dos pais ou suas razões para o que fizeram. Por isso, ambos os lados precisam de ajuda, e o tempo a sós com Deus ajudará a tratar do coração de todos. Não devemos ter medo ou vergonha de falar sobre o que sentimos, pois Deus "enfaixa nossas feridas". Ele pode nos capacitar e instruir para vivermos como ele deseja, mesmo quando os membros da família não contribuem para nosso bem-estar. Não temos o poder de mudá-los, mas em Cristo temos o poder de impedir que nossa vida seja moldada pelas circunstâncias sobre as quais não temos controle. Isso é transformador, pois deixamos de olhar os pais ou outros como responsáveis por nossa vida para, na dependência de Deus, tomar as rédeas dela.

Quando cultivamos esse tempo contínuo com Deus, somos dirigidos pelo Espírito Santo na tentativa de estabelecer um diálogo com a família sobre nossas emoções. Conversas sem agressões, e sempre na primeira pessoa do singular, fugindo de expressões como "vocês me excluem" ou "vocês escondem algo que não têm o direito de esconder". Em vez disso, pensar nas palavras de Paulo em Colossenses 4.6: "Que suas conversas sejam amistosas e agradáveis, a fim de que tenham a resposta certa para cada pessoa". Ao falar com os pais, é importante pensar em como encorajá-los a dizer a verdade, independentemente de qual seja, e também preparar-se para ouvi-los, entendê-los e perdoá-los. Quando ouvimos, entendemos e perdoamos, rompemos o ciclo problemático passado de geração a geração.

A ausência de limites na família de Jacó

Pouco sabemos da infância e adolescência de Abraão, Isaque e Jacó. A história deles na Bíblia se concentra em sua vida adulta. No entanto, na vida de um homem adulto, encontramos sinais de sua infância e adolescência. Nessas fases da vida, as palavras *disciplina* e *limites* são cruciais, são fontes de sabedoria preparatórias da vida adulta. Como afirmam Henry Cloud e John Townsend: "A disciplina é um limite externo para estabelecer limites internos em nossos filhos".[1] Mas séculos antes Deus já tinha dito em sua Palavra: "O filho sábio aceita a *disciplina* de seu pai; o zombador se recusa a ouvir a repreensão" (Pv 13.1); "O coração da criança é inclinado à insensatez, mas a vara da *disciplina* a afastará dela" (Pv 22.15); "Quem não corrige os filhos mostra que não os ama; quem ama os filhos se preocupa em *discipliná-los*" (Pv 13.24).

Limites aplicados são frutos de disciplina, e disciplina significa ensinar, inculcar, praticar, repetir e repetir. A disciplina aplicada à criança pode gerar uma atitude proativa em favor do que é bom e desenvolver uma atitude de proteção contra o mal relativamente a pessoas e circunstâncias. Quando olhamos para algumas circunstâncias vivenciadas pelos filhos de Jacó, somos forçados a pensar que eles não foram disciplinados adequadamente. Isso, porém, não quer dizer que as mazelas praticadas por Rúben e Simeão tenham sido culpa de Jacó. Ambos era adultos e responsáveis por seus atos. No entanto, aparentemente faltaram algumas experiências ou ensinos na juventude de ambos a fim de que fossem protegidos de atos de violência e de imoralidade.

A vingança praticada por Rúben e Simeão contra o estuprador de sua irmã é algo hediondo. Eles misturaram religiosidade com mentira (Gn 34.21-26). Ainda que a honra da irmã tivesse sido manchada e o estupro tivesse sido um ato também hediondo, os dois irmãos tomaram isso como um ato de vergonha para toda a família (Gn 34.7) e planejaram a vingança de forma vil. Duas coisas nos vêm à mente quando lemos esse texto de Gênesis. A estratégia dos dois filhos de Jacó foi de profunda insensatez, e Provérbios 22.15 nos diz que a disciplina afasta a insensatez. Ao relembrar o texto de Tiago 4.1-3, que diz que nossos desejos guerreiam contra nós mesmos, entendemos o que se passou no interior dos irmãos de Diná. O desejo de vingança por parte de Rúben e Simeão foi maior que a proteção que poderiam ter exercido se houvessem sido criados dentro do conceito da disciplina que gera sensatez. Faltou-lhes limites e bom senso.

Mas há outro ponto a considerar. A reação de Jacó diante do resultado da ação insensata dos filhos não foi de decepção pelo comportamento deles. A tristeza do pai não se deu porque os filhos demonstraram falta de compaixão. A preocupação de Jacó foi com seu próprio nome ou imagem: "Vocês arruinaram minha vida! Serei odiado por todos os povos desta terra" (Gn 34.30). Na linguagem mais literal do texto, era como se Jacó dissesse que a atitude dos filhos trouxera um mau odor sobre seu nome.[2] Nessa linha de raciocínio, sua principal preocupação não parece ter sido o zelo pela pureza da vida ou mesmo seu testemunho na terra, mas sua própria segurança. E aqui vemos mais uma vez a repetição de traços das famílias de origem. O próprio avô de Jacó, Abraão, passou por isso ao tentar se proteger, colocando assim em perigo a vida da esposa, Sara.

Atrás da falta de limites residem várias razões. Colocar limites é desgastante, pois significa dizer não, enfrentar conflitos e confrontação, ser mal interpretado e impopular, como fica evidente no caso de Jacó com seus dois filhos. Nenhum pai gosta que os filhos o considerem chato, irritante, aquele que diz não. Mas a questão é que, ao contrário disso, colocar limites é uma expressão de amor aos filhos. Dizer não, quando necessário, é uma forma de dizer "eu te amo, filho". Quando os filhos são adultos, talvez o tempo de ensinar limites já seja exíguo. No entanto, é nesse momento que os pais precisam colocar limites a si mesmos dizendo aos filhos o que é permitido dentro de sua casa. Os filhos precisam saber claramente o que os pais creem e pensam sobre o que eles podem ou não fazer. A casa é dos pais, não dos filhos. O problema é que os pais não querem se desgastar nem ser impopulares. A negligência em estabelecer limites revela a fraqueza dos pais e produz a insensatez nos filhos, o que é triste.

Embora os pais não sejam responsáveis pelo comportamento dos filhos adultos, na cultura da época de Jacó, os filhos adultos e líderes da própria família viviam na companhia dos pais, o que quer dizer que ainda era tempo de Jacó confrontar os filhos. Em Gênesis 35.22, outra cena lamentável é narrada. Rúben tem relações sexuais com Bila, concubina de seu pai, o que caracterizava um ato de rebeldia, uma expressão do desejo de tomar o lugar do pai. Sob a perspectiva dos planos de Deus para Jacó, o ato de Rúben foi não só vergonhoso como também de afronta a Deus. Mas o triste é que o texto diz que Jacó, embora tivesse tomado conhecimento do ocorrido, não confrontou o filho. Talvez por medo de ouvir o que os filhos tivessem a dizer. Jacó fechou-se em sua caverna de isolamento, em vez de tratar do assunto e pedir a Deus que o orientasse sobre como disciplinar o filho rebelde.

É preciso entender que estabelecer limites não significa autoritarismo ou dominância. Deus nos estabelece limites sem perder seu senso de amor e firmeza para conosco. É justamente por amar-nos que ele diz que não devemos matar nem adulterar, pois ele conhece as consequências e deseja proteger-nos delas. O que pode ter faltado a Jacó? Firmeza, coragem, discernimento para lidar com a situação? O não estabelecimento de limites para os filhos está associado com a falta de assertividade, um fruto do medo, o que revela orgulho. Era como se Jacó estivesse dizendo: "Não quero indispor-me com meu filho". Mas "Deus não nos deu um Espírito que produz temor e covardia, mas sim que nos dá poder, amor e autocontrole" (2Tm 1.7). Quando os pais abrem mão da responsabilidade concedida por Deus, a família toda sofre.

Entretanto, não podemos ser injustos com Jacó. Ele viu esse comportamento em sua família de origem, trouxe-o consigo e não soube romper o ciclo. Apesar disso, Deus em sua graça transformou a vida desse patriarca, e isso também pode ocorrer em nossa vida e na de nossos pais. Embora não seja nosso papel mudar nossos pais, podemos cuidar de nós mesmos, guardando o coração contra maus pensamentos e vivendo do pão diário que Deus nos oferece. Deus usa nossas dúvidas, nosso sentimento de injustiça e de inabilidade, e o distanciamento existente em nossa família de origem para moldar-nos ao caráter de Jesus e, assim, experimentar o que ele experimentou. Embora rejeitado, traído, humilhado e condenado à cruz, Cristo confiava no amor do Pai por ele e não desistiu, e Deus o ressuscitou. A história de cada um de nós, hoje, talvez pareça sombria e desconectada, mas Deus a tornará luminosa e cheia de sentido. Deus nos ressuscitará de nossas dores para uma vida com significado.

Talvez Deus não mude seus pais, disse o pastor Davi a Ruanita. Mas, à medida que desfrutamos tempo a sós com Deus, descobrimos que podemos viver bem com o que nos falta, porque em todas as coisas Deus é suficiente para nós.

A graça na vida de Jacó

Passaram-se cerca de vinte anos desde que Jacó saíra da casa de seus pais por causa do conflito com Esaú. Deus havia prometido trazer Jacó de volta a Canaã, e este prometera a Deus que voltaria para a casa de seu pai caso Deus o protegesse em sua jornada. Nesses vinte anos, o enganador, ou suplantador, foi enganado e suplantado, mas a graça de Deus, que muitas vezes não entendemos, veio sobre ele. Jacó se casou, teve filhos e voltou rico a Canaã. Seu casamento nos ensina algumas histórias boas e difíceis, como veremos adiante.

Deus havia feito uma promessa a Jacó, e em suas promessas ele nunca nos abandona. Ao contrário, seu desejo é sempre de nos transformar. Nesse processo de transformação, Deus também queria mudar a vida de Jacó, queria prepará-lo para, com um caráter diferente, ser de fato receptor de seus planos.

Em Gênesis 32—33, vemos como a graça de Deus busca Jacó para gerar uma transformação singular, que nem sempre é completada no mesmo momento. Os incidentes com Rúben e Simeão, por exemplo, ocorreram depois dos fatos mencionados em Gênesis 32. Entretanto, cada incidente do processo de transformação em nós se torna um instrumento de Deus para moldar-nos segundo o caráter de Jesus.

Jacó está voltando para Canaã com toda a família e bens. Mas ele tinha uma dívida. O tempo não cura mágoas, apenas nos faz acostumar-nos a elas. A mágoa só é tratada quando a admitimos e, arrependidos, procuramos reparar nosso erro. Jacó sabia que o dia de enfrentar Esaú chegaria. Para chegar em casa, ele teria de passar pelo território ocupado por Esaú, que havia prometido matar o irmão depois da morte de Isaque. Jacó, então, pensa em uma estratégia para acertar as contas com o irmão, e lhe envia presentes, na esperança de comprar seu perdão (Gn 32.20-21). Presentes, no entanto, não curam mágoas. No processo de reencontrar o irmão, Jacó confessou seu medo a Deus (Gn 32.11). Mais que nunca, o medo o torna vulnerável. Jacó envia mensageiros a Esaú e no fim do dia faz a família atravessar o vale de Jaboque (Gn 32.22).

Agora, sozinho e temeroso, Jacó luta até o amanhecer com o próprio Deus. Seria ele perdoado pelo irmão? Ao mesmo tempo, Jacó já tinha certo conhecimento de Deus, por isso sua luta soa como uma tentativa de receber, primeiro, o perdão de Deus para só então esperar o perdão do irmão. Mas Deus trabalha de forma sistêmica. Para levar cura a Jacó, ele também trabalha o coração de Esaú, e assim é também com nossa família imperfeita. Somente a graça perfeita de Deus transforma famílias imperfeitas em famílias sinceras e amorosas.

Uma verdade profunda em nosso relacionamento com Deus é que sem enfrentar o que somos e temos interiormente, nosso caráter não é transformado. Apenas quando encaramos nossa pecaminosidade e a admitimos, mudanças começam a ocorrer. Naquela luta, Deus mostrou quem era Jacó e se mostrou todo-poderoso (Gn 32.22-32). O enganador foi vencido. O "dedo de Deus" toca o quadril de Jacó, derrotando-o. Muitas vezes, nossa luta para render-nos é longa e cansativa, pois lutamos contra nossos desejos carnais e altivos. Mas Deus sempre usa o tempo necessário para nos moldar. Jacó queria a bênção e o perdão de Deus, sem necessariamente encarar seu egoísmo. A longa luta se dá justamente porque era preciso ver quanto Jacó de fato desejava ser abençoado com o perdão de Deus. E é nesse sentido que o texto diz que Jacó prevaleceu (Gn 32.28). Deus, por sua vez, desejava abençoá-lo somente depois do quebrantamento, quando Jacó experimentaria o perdão e a esperança para enfrentar seu irmão. E a única forma de Jacó se render a Deus foi Deus torná-lo manco. Essa foi a marca da graça de Deus na vida de Jacó.

Talvez, em sua história de vida, você venha a "ficar manco", mas se isso ocorrer você certamente renderá graças a Deus, pois o toque divino, ainda que desconfortável, o deixará mais dependente dele, e viver na dependência de Deus nos capacita a enfrentar as dores da vida, nas quais refletimos Jesus. Não sabemos o que Deus nos revelará sobre nosso passado, mas se for dolorido é certo que ele está escrevendo em nós uma história singular que, quem sabe, romperá um padrão de comportamento danoso em nosso sistema familiar. Ao fazer-nos mancos, Deus nos torna dependentes dele de uma forma a não nos esquecermos de sua graça transformadora.

Deus deu a Jacó uma nova identidade. A vida de enganador passara, agora ele tinha a marca de Deus em sua vida. A partir daquele momento, a identidade de Jacó deixou de estar associada ao nome dado por sua mãe. Ele já não seria o que agarrava o calcanhar. Ele já não seria Jacó, mas Israel. O novo Jacó, agora Israel, está aprendendo a trocar orgulho por humildade (Gn 33.3), ganância por generosidade (Gn 33.10-11) e autossuficiência por um coração adorador (Gn 33.20). Ele agora é Israel, que significa lutador ou príncipe, ou aquele que luta como um príncipe. O nome carrega a experiência de Jacó no vale de Jaboque. Ele entendeu que fora perdoado, e agora tinha esperança de que Deus o capacitasse para o encontro com Esaú.

Quando o dia amanhece, Jacó, manco por causa do quadril, revela-se um novo homem. Ele chama aquele lugar de Peniel, "face de Deus", pois como ele mesmo disse: "Vi Deus face a face e, no entanto, minha vida foi poupada" (Gn 32.30). Por isso, entendemos que ele lutava por perdão. Jacó não poderia estar na presença santa de Deus em pecado. De Peniel ele sai abençoado, equipado, cheio de esperança. Assim também Deus trabalha conosco. Talvez até possamos sentir-nos traídos por nossos pais e excluídos por nossos irmãos, mas nunca por Deus.

Jacó cometeu tremendas falhas em sua caminhada com Deus, mas Deus o resgatou e o curou. Jacó, agora Israel, errou por não ter estabelecido limites para os filhos, que por isso se tornaram selvagens. Filhos sem limites, famílias selvagens. Mas famílias selvagens são transformadas em família amáveis pela graça de Deus. Todos nós precisamos de muitos momentos Penieis em nossa vida.

O pastor Davi se despediu de uma emocionada Ruanita confessando que, em sua própria vida, involuntariamente demonstrou favoritismo com os filhos e muitas vezes precisou admitir que lhe faltava pulso para estabelecer limites e disciplina. Mas Deus tem trabalhado em sua vida, pois seu desejo é que o Senhor gere nele a ternura e a firmeza de Jesus. E isso não se compra: é algo que Deus produz em nós à medida que admitimos nossa fraqueza e resolvemos agir na dependência dele.

Quando nos sentimos vulneráveis, Deus se mostra forte para conosco e faz de nós novas pessoas, independentemente do tipo de família a que pertencemos. E, quando permitimos que Deus trabalhe em nós, ele promove mudanças e nos dá discernimento para relacionar-nos com nossos pais e irmãos, independentemente da atitude deles.

4
A graça que cura as dores da família imperfeita: A família de José

....

Na família o perdão tem o poder da reconstrução.

Sejam compreensivos uns com os outros e perdoem quem os ofender. Lembrem-se de que o Senhor os perdoou, de modo que vocês também devem perdoar.

COLOSSENSES 3.13

Quase cinco horas da manhã o pastor Davi é surpreendido por uma ligação telefônica. Era Roberta, mãe de Ruanita. O pastor assustou-se, pois já se haviam passado quatro meses desde o último encontro com Ruanita, quando lhe sugerira que os pais o encontrassem. Com voz trêmula, chorando, Roberta diz que a filha havia saído de casa. Na carta que deixara para eles, ela dizia não suportar mais viver numa família em que as coisas não eram claras, sem saber se era adotada, e tendo de presenciar incomodada o tipo de relacionamento dos pais. Embora as circunstâncias não fossem as melhores, chegara finalmente o momento de o casal conversar com o pastor.

Roberta mencionou que Ruanita não era filha de Raul, seu marido, mas de seu cunhado, por quem havia sido estuprada. Raul nunca quisera lidar com o problema nem denunciar o irmão por causa da vergonha que isso causaria a ele e aos pais de ambos, e tampouco desejava ver o irmão preso. Assim, o assunto tornou-se proibido, sob pena de Raul deixar a família. Vinte e três anos depois, Ruanita percebia o misto de silêncio, raiva e desconforto entre Raul e Roberta, com raros momentos de afeto e frequente agressividade. Raul projetava sobre a filha e a esposa a mágoa acumulada. Os pais nunca comentaram o ocorrido com Ruanita por temer a reação dela e as consequências que a verdade poderia acarretar.

Roberta, por sua vez, vivia um turbilhão de sentimentos não só com relação ao ocorrido, mas sobretudo com relação a Deus. Se Deus a amava, por que permitira isso? Perplexo diante da revelação, começou a fazer sentido para o pastor Davi os relatos e desejos dos irmãos Rony, Ruy e Ruanita sobre a família perfeita.

Embora a história dessa família seja triste e aparentemente insolúvel, Deus é capaz de curar dores e abrir um futuro cheio de esperança. Mas antes é preciso dar lugar às emoções represadas, e ele tem sempre o tempo certo de trazer à tona problemas guardados e dores não curadas para só então gerar um novo momento, coberto de paz e harmonia. Deus deseja libertar-nos do sofrimento e trazer cura emocional para nós e também para os que nos rodeiam ou vivem situações semelhantes.

Pensemos por um momento. Se Jesus estivesse fisicamente conosco, como nos olharia quando lhe abríssemos o coração e falássemos de nossos sentimentos, inclusive em relação a Deus? Embora a maioria de nós possa responder que ele nos acolheria (e é verdade), aquele turbilhão de sentimentos reforçados pela raiva não raro se sobrepujariam à fé e a essa certeza de acolhimento. Mas, ao contrário do que possamos imaginar, ser realista nos aproxima da cura.

A história da família de Roberta, como muitas das nossas, guarda semelhanças com a de José, um dos filhos de Jacó com Raquel. José enfrentou rejeição, ódio, perda e abandono. Não seria absurdo dizer que ele passou, não por um estupro sexual, mas por um estupro emocional. Entretanto, José descobriu como a graça de Deus pode reconstruir tanto um membro ferido como toda a família.

A história de José

A história de José é marcada por algumas palavras-chave: rejeição, rapto, assédio, abuso, dor na alma. Há muitas histórias de pessoas em nossas igrejas cuja dor pessoal assemelha-se à de José. Muitos identificam-se com as dores de José. É na igreja que, juntos, podemos e devemos orar pedindo a Deus que cure essa dor da alma.

Gênesis 37 relata que José era o filho preferido de seu pai e por isso tornou-se alvo do ódio dos irmãos. Podemos imaginar o sentimento de rejeição, descaso e angústia vivido por José diante do desprezo dos irmãos, que só se deram conta disso muito tempo depois: "É evidente que estamos sendo castigados por aquilo que fizemos a José tanto tempo atrás. Vimos sua angústia quando ele implorou por sua vida, mas nós o ignoramos. Por isso estamos nesta situação difícil" (Gn 42.21).

É da família que todos nós esperamos amor, proteção, segurança e apoio. Mas com José foi diferente. Se olharmos o contexto de Gênesis 37, quando ele foi vendido como mercadoria, veremos que o momento em que toda a trama foi criada ocorreu quando José, a pedido do pai, saiu à procura dos irmãos a fim de levar-lhes mantimento e saber se estavam bem. Por ter sido obediente ao pai, caiu na desgraça armada pelos irmãos. Embora José tivesse ido em busca dos irmãos para servi-los, esse "serviço" quase lhe custou a vida.

Não é assim que muitas vezes nos sentimos? Ainda que aparentemente estejamos fazendo tudo certo, em troca somos golpeados, rejeitados, abandonados justamente pelas pessoas às quais nos damos e servimos. Procuramos ser pessoas íntegras, servir com o coração correto, mas em contrapartida somos incompreendidos e rejeitados. E, assim, é natural questionar a Deus.

Os irmãos de José viram sua angústia, mas nem sequer pararam para ouvi-lo. Era assim que Roberta se sentia. Sua alma precisava ficar em silêncio para que todos se sentissem bem, inclusive o marido. Com certeza Jacó via a inimizade entre José e os outros filhos, mas reagiu com passividade, e o pior aconteceu. José foi vendido como mercadoria. Você pode imaginar a cena? Antes de vender José, os irmãos pensaram em matá-lo. O texto bíblico diz que colocaram José numa cisterna, de onde deve ter ouvido os irmãos decidirem se o venderiam ou o matariam. Podemos imaginar a aflição de que foi tomado diante da impotência para lidar com uma situação que ele não era capaz de resolver. Esse sentimento vem permeado por tristeza, ressentimento e sensação de abandono. E é nesse contexto que nasce em nós a sensação de termos sido abandonados até mesmo por Deus.

José sofreu abuso emocional e físico por parte daqueles que mais deveriam amá-lo e protegê-lo. Embora fosse a parte mais vulnerável, foi abandonado em sua vulnerabilidade. Na cisterna, só era capaz de enxergar o céu e, quando olhamos para o céu, esperamos Deus agir. A questão é que muitas vezes Deus parece demorar em nos responder, e enquanto ele não responde a ferida continua aberta e aparentemente sem esperança de ser fechada. José estava desamparado. Era ele contra dez. Desprezado e tratado como vilão, não sabia qual seria seu futuro. Ele só tinha o céu para olhar. Mas sua história não termina ali. Algo ainda mais difícil estava por vir.

Os irmãos de José o venderam para uns mercadores que passavam a caminho do Egito. José saiu do fundo de uma cisterna para, sem saber, cair em outro poço. Ele foi vendido para um oficial da guarda do faraó. Essa história pode trazer-nos certa perplexidade em um primeiro momento, afinal Deus era conhecido por José e José conhecia Deus. José deve ter orado do fundo do poço. Ao ser puxado, talvez até tivesse pensado que os irmãos haviam mudado de ideia. Mas não foi o que ocorreu. Ele havia se tornado um produto de venda e lucro para seus irmãos, que o odiavam. A dor do abandono pode ser pior que a dor da morte. E, com a dor do abandono, José sente agora a dor do desconhecido. Como seria a vida no Egito? De filho preferido do pai, José se torna um escravo, vendido em troca de dinheiro ou de outra mercadoria. Em vez de vestido com uma túnica colorida simbolizando preferência e autoridade, ele agora viaja acorrentado pelos pés e pelo pescoço (ver Sl 105.18).

Na casa de Potifar, o oficial do faraó trata José com deferência, mas não lhe concede uma carta de alforria. Por ser um escravo qualificado, José é tratado com honra: "O Senhor estava com José, por isso ele era bem-sucedido em tudo que fazia no serviço da casa de seu senhor egípcio. Potifar percebeu que o Senhor estava com José e lhe dava sucesso em tudo que ele fazia. Satisfeito com isso, nomeou José seu assistente pessoal e o encarregou de toda a sua casa e de todos os seus bens" (Gn 39.2-4).

É interessante observar que nesse texto é mencionado repetidamente que Deus estava com José. Não parece paradoxal?

Deus estava com ele, e José era escravo. Quando não sabemos o fim da história nosso pensamento pode ser: "Deus tirou José de um poço para colocá-lo em outro ainda mais profundo". Não entendemos os caminhos de Deus. E justamente por isso nos perguntamos: "Deus, por quê?". Como encorajamento, lembremos que nosso Salvador, o Senhor Jesus Cristo, também usou essa expressão ao dizer: "Meu Deus, meu Deus, por que me abandonaste?" (Mt 27.46).

Será que Jesus se sentia abandonado por Deus? Claro que sim. Era esse seu sentimento naquele instante de dor. Naquele momento, Deus lhe havia virado as costas por causa de nosso pecado, mas depois de três dias Deus o ressuscitaria. Jesus, porém, sabia que se tratava de um abandono apenas momentâneo, pois estava tão seguro do amor de seu Pai por ele que não duvidava de que Deus o traria de volta ao relacionamento amoroso que desfrutavam.

Claro que o caso de José é bem diferente. José não era Deus, mas Deus tinha planos para a vida dele, como tem para a nossa. Por mais profundo que seja o poço em que venhamos a cair ou em que sejamos colocados, Deus nunca nos deixará nele para sempre.

Mas o texto mostra que o poço ficava cada vez mais fundo para José. Parece que mais uma vez José será punido justamente por ser obediente e fiel. José era um homem de bela aparência, o que chamou atenção da esposa de Potifar, e ela passou a assediá-lo e a desejá-lo sexualmente. José, porém, dando razões espirituais, foge do assédio: "Como poderia eu cometer tamanha maldade? Estaria pecando contra Deus!" (Gn 39.9). Ainda assim, a carente esposa do patrão acaba trazendo o rapaz para dentro de seu quarto, na tentativa de seduzi-lo. José foge, mas suas roupas ficam nas mãos da patroa.

Quando Potifar volta de viagem, a mulher acusa José de assédio, jogando sobre ele toda a culpa, pelo que é injustamente mandado à prisão. Mais um poço profundo.

Muitas vezes, essa é nossa experiência também. Esperamos o melhor de Deus, mas aparentemente recebemos o pior. Nesses momentos, talvez nos perguntemos se vale a pena obedecer e honrar a Deus. Roberta poderia ter abortado Ruanita, mas resolveu confiar em Deus e não cometeu assassinato. Agora, parecia que a pessoa que ela amou de uma forma tão singular havia se voltado contra ela. E, para piorar, sua vida íntima com Raul era fria, distante. Um poço profundo e aparentemente sem saída.

Assim também foi com José. Ele é enviado para a prisão, sem julgamento, sem ser ouvido, sem poder defender-se. Será que mais uma vez Deus o estaria abandonando? Era costume da época para aquele tipo de crime que o oficial do faraó condenasse José à forca, mas em vez disso o envia à prisão, que não era a pior do Egito. José não conseguia ver, mas Deus estava agindo, como ele faz muitas vezes conosco. Pense em Roberta. Nesses vinte anos, não lhe faltou alimento, os filhos a amavam, o marido tinha um bom trabalho, o trabalho dela como consultora de moda lhe trazia um bom rendimento e eles moravam numa casa de alto padrão. Deus deixou-a num poço por mais de vinte anos, sim, mas no silêncio ele cuidou dela, sem que ela mesma percebesse. Claro que uma casa bonita e um bom trabalho não substituem amor, respeito e afeto; no entanto, no processo de cura, são recursos temporários que nos ajudam a atravessar uma crise.

A questão é como podemos crer que Deus está agindo no silêncio quando nosso coração está amargurado ou quando até achamos que ele é o culpado de nossa miséria. Vejamos o que aconteceu com José. Na prisão, ele ganhou a confiança do carcereiro (Gn 39.21-23). Certo dia, dois de seus companheiros de prisão têm um sonho. José interpreta os respectivos sonhos, que se concretizam. O copeiro do rei volta a servir o faraó, e o padeiro é executado. Quando o copeiro sai da prisão, José lhe pede que não se esqueça dele, pois havia sido condenado injustamente. "O chefe dos copeiros, porém, se esqueceu completamente de José e não pensou mais nele" (Gn 40.22). É doloroso ver que aquele que foi profundamente encorajado por José se esquece totalmente de seu benfeitor.

Quando nos sentimos abandonados, vemo-nos distantes de Deus e esquecidos pelas pessoas, que ainda que ouçam nossa dor acostumam-se com isso. Mas nós, que vivemos o sofrimento, continuamos com a imagem do ocorrido e a sentir a dor da ferida aberta na alma. A diferença é que Deus não se acostuma com nosso estado de sofrimento e age em seu tempo e a sua maneira.

Dois anos mais tarde, José é lembrado pelo copeiro para interpretar um intrigante sonho do faraó. Nele, sete vacas magras engoliam sete vacas gordas, o que trouxe perplexidade ao faraó. É nesse momento que o copeiro se lembra de José e o faraó ordena que o tragam da prisão. José interpreta o sonho do rei, explicando que as vacas representam dois períodos: primeiro, sete anos de grande fartura e, em seguida, sete anos de fome sobre toda a terra. O faraó se encanta com José e sua sabedoria e faz dele o homem mais importante do império, abaixo apenas dele próprio, o monarca da nação. José recebe o anel do rei, que lhe permitia sancionar, vetar e criar leis. Também recebe um manto de linho, como símbolo de autoridade e membro da realeza. Um colar de ouro simbolizava a riqueza que lhe foi concedida. Agora José, como segundo em poder no reino, podia andar na carruagem real, privilégio reservado apenas ao faraó (Gn 41.1-44)

José saíra do poço. Em vez de grilhões nos pés, ele usa a carruagem real e faz as pessoas se curvarem a sua passagem. Em vez de correntes no pescoço sinalizando servidão, impotência e pobreza, agora ele ostenta o colar de ouro, símbolo de pertencimento, poder e riqueza. Em vez de uma túnica rasgada por seus irmãos que o abandonaram, agora ele veste uma túnica de linho puro, que reflete o acolhimento das pessoas mais importantes do reino mais poderoso da face da terra em seu tempo. Quem fez isso?

Talvez Deus não nos dê um colar de ouro ou uma Ferrari para desfilarmos pelas ruas da cidade. Mas o Deus de José é o mesmo Deus que adoramos. E esse mesmo Deus quer nos dar um novo estado de vida. Nancy DeMoss, referindo-se às dores da vida que precisam de cura, diz: "O resultado da nossa vida não é determinado pelo que acontece conosco, mas pelo modo como reagimos àquilo que acontece conosco".[1]

A graça que tirou José do poço da dor e da rejeição, curou-o e deu-lhe pertencimento é a mesma graça que nos é oferecida hoje. Podemos ter algumas respostas às perguntas que fazemos a Deus quando olhamos para o José que chegou ao Egito e para o José transformado no Egito. Como será que ele chegou à corte e enfrentou a nova vida?

Quando olhamos para os ancestrais não tão distantes de José, encontramos histórias de dor, experiências lamentáveis de precipitação e não espera em Deus, de favoritismo, mentiras, violência doméstica, abusos, estupros, sequestros, tráfico humano, etc. Alguns desses erros repetiram-se nas gerações seguintes, ainda que não necessariamente da mesma forma. Em seu tempo, porém, Deus mudou essas histórias de família, e especialmente a história de membros feridos. Nem sempre a mudança se deu em toda a família. Alguns são mais resistentes a mudanças. Mas, quando um membro da família resolve ser mais vulnerável e gritar por socorro, Deus usa a vulnerabilidade dele para fazer milagres na família.

Mudanças também ocorrem quando a família ou um membro ferido decide olhar os eventos adversos sob a perspectiva de Deus, em vez de fazê-lo sob a ótica de suas próprias dores ou frustrações. E isso o coloca diante de uma encruzilhada. De um lado, o desejo de não se envolver, de fugir e de fazer de conta que está tudo bem, o que leva à repetição dos problemas na próxima geração. De outro lado, o desejo de gritar, de buscar socorro, de confrontar, que, embora possa trazer dor, em longo prazo o beneficiará assim como a família atual e futura.

José chegou ao Egito muito ferido. Odiado pelos irmãos, fora vendido como escravo, injustiçado na casa de Potifar, lançado à prisão sem justa causa, esquecido por quem ele ajudara fielmente, sem mencionar os anos sem notícias de casa e sem saber se o pai morrera ou, se vivo, ao menos sentia falta dele. Agora, como o segundo membro mais importante da corte do Egito, José poderia ter pensado que era tempo de vingar-se ou mesmo de fazer de conta que o passado precisava ser simplesmente esquecido e "bola pra frente". Afinal, já se haviam passado cerca de treze anos desde o dia em que ele fora vendido como mera mercadoria e emocionalmente violentado por seus irmãos.

Ao chegar ao Egito, José poderia ter se deixado dominar pela depressão devido às dores de um estresse pós-traumático, o que teria sido até natural depois de tanto sofrimento. Também poderia ter olhado para si mesmo com sentimento de baixa autoestima ou de falsa culpa, imaginando que, se houvesse sido um irmão melhor, seus irmãos não o teriam vendido como algo sem valor. José já não estava em sua casa, onde era o filho preferido, nem em sua terra natal, que tinha um profundo significado para ele e sua família. Então o que fez José não se deixar dominar pelo que poderia ser sua identidade àquela altura de sua vida? O olhar de Deus nunca deixou de ser amoroso com ele, e nunca deixa de ser amoroso conosco também. O problema é que nem sempre conseguimos ver o que ele está fazendo, uma vez que, não raro, ele trabalha no escuro, orquestrando ações que só farão sentido para nós no tempo certo.

Isso não ocorre apenas com os membros da igreja, mas também com pastores e líderes. O próprio pastor Davi havia passado por um período de depressão. À frente de um grande ministério, mas cheio de autossuficiência e orgulho, ele nunca admitira isso. Foram meses de frustração e lições dolorosas. Viu-se, ele próprio, enfrentando o mesmo problema de pessoas que o procuravam por causa da depressão e para as quais ele olhava com altivez, como se fossem crentes imaturos ou estivessem deprimidos devido a algum pecado. Confrontado duramente por outras pessoas e pelo próprio Deus, viu-se restaurado pela graça. Aquela experiência ajudou-o a ser mais sensível e a compreender os membros de sua igreja. Deus não causara aquela depressão, mas usou-a para melhor prepará-lo a lidar com o rebanho que ele tanto amava e com seu próprio orgulho e autossuficiência.

Deus pode e deseja usar nossas dores para dar-nos uma vida abundante e curar nossas feridas.

O início das mudanças e da cura: o momento Manassés

Depois de dois anos como o segundo maior do reino do Egito, José recebe como presente do faraó uma esposa, Azenate,[2] que lhe dá dois filhos. O primeiro é chamado Manassés: "Durante esse tempo, antes do primeiro ano de fome, José e sua mulher, Azenate, filha de Potífera, sacerdote de Om, tiveram dois filhos. José chamou o filho mais velho de Manassés, pois disse: 'Deus me fez esquecer todas as minhas dificuldades e toda a família de meu pai'" (Gn 41.50).

José estava num país idólatra, casado com uma mulher egípcia, com certeza também idólatra pois era filha de um sacerdote de um deus da cultura religiosa egípcia. José estava sob a autoridade do faraó, que também lhe dera um novo nome, Zafenate-Paneia, cujo provável significado é "Deus fala e vive". Por tratar-se de um nome egípcio, é bem possível que esteja ligado a alguma prática idólatra. José, porém, não tinha como esquivar-se da autoridade do faraó no que dizia respeito a seu nome, mas possuía liberdade de escolher o nome dos filhos, e optou por nomes hebraicos. Embora estivesse em um país pagão, longe da terra prometida por Deus para seus pais, avós e bisavós, vivendo em uma cultura totalmente diferente da sua, ele não se esqueceu de sua origem. José não se moldou à cultura de seu novo país, porque seu país não era aquele.

No que nos diz respeito, tampouco somos cidadãos deste mundo, mas cidadãos do céu, e por isso nossa vida não pode ser pautada pelos valores e pelas práticas deste mundo. Vingança, orgulho, desprezo e ódio não são valores do reino em que vivemos. José poderia ter dito: "Do que adianta continuar a ser fiel ao Deus que eu servia se minha vida desmoronou? De que adianta manter os valores se Deus não interveio impedindo que eu fosse vendido como escravo?". Mas não foi essa a atitude de José. Em vez de descrer em Deus, ele confiava que sua história ainda não havia chegado ao fim e, portanto, não precisava amoldar-se à cultura pagã em que vivia. José estava começando a perceber que seus valores ou sua identidade pessoal não poderiam depender de seu passado, mas sim do que Deus faria com ele e através dele no futuro.

Conseguimos sobreviver às dores da perda do emprego ou de uma crise financeira, mas quando se trata de um ataque contra nós, a família ou um membro dela, a dor se torna muito maior e a angústia, ainda mais profunda. Quando na família ocorre um divórcio, ou há um membro adicto ou dependente alcoólico, a dor é excruciante. José, no entanto, não desistiu de manter o olhar em Deus e lutava para construir sua identidade não a partir do que havia sofrido, mas sobre o caráter do Deus em que ele cria. Por isso dá a seu primeiro filho o nome de Manassés, cujo significado, muito singular e simbólico, remete à ideia de esquecer: "Deus me fez esquecer todas as minhas dificuldades e toda a família de meu pai" (Gn 41.51). O termo "dificuldade", usado por José, carrega no hebraico a ideia de labor desgastante, trabalho cansativo, desgaste, infortúnio, desapontamento, vexame.[3] Apesar de tudo isso, diante da alegria do filho recém-nascido e do que Deus lhe havia proporcionado no Egito, era como se tudo houvesse passado.

Observe que José aponta para Deus como o responsável pelo que estava acontecendo dentro dele: "Deus me fez esquecer". A dificuldade de ter ouvido seus irmãos planejarem sua venda, o assédio pela esposa de Potifar, a prisão injusta, a espera na prisão pelo término de um processo que parecia sem fim, além de outras situações que ele deve ter enfrentado nos anos que se passaram entre sair de casa e tornar-se o segundo no reinado do faraó, tudo isso Deus lhe permitira esquecer. Esquecer não constituía um exercício de autoajuda; antes, era a graça de Deus operando em seu interior. José foi à fonte correta. Quando queremos derrubar uma árvore, não cortamos os galhos, cortamos as raízes. Assim fez José. Com os recursos de Deus, ele lidou com as causas, não com os sintomas de suas dores.

Deus fez José esquecer não somente as dores do sofrimento, mas também a família de seu pai. Teria ele causado um lapso de memória ou amnésia? Claro que não. Deus curou José. Nem sempre ele apaga nossas memórias, mas nos cura das dores que essas memórias nos causam. Deus o curara das dores da separação da família. Deus o curara da dor da separação de seu pai, e agora o fizera pai de dois garotos. Deus o curara das dores do ambiente hostil em que vivera com os irmãos. Se alguma vez José havia pensado em revidar, Deus tirara dele a fome por vingança. Se havia alguma ira guardada contra seu pai ou seus irmãos, ou mesmo contra Potifar e a esposa, ele agora estava curado. Deus o curara. Já não havia dores do passado em sua alma. José decidiu não olhar sua identidade à luz do que sofrera. Ele decidiu olhar sua vida à luz do que Deus estava fazendo com essa situação de sofrimento e à luz do futuro que se descortinava diante dele.

Não podemos avaliar nossa vida pelo sofrimento, pelo mal de que somos alvo na família, nem por qualquer tipo de rejeição. Precisamos avaliar nossa vida à luz do que Deus fará em nós como fruto do que aconteceu conosco, independentemente de a dor ter sido causada pela falta de amor de nossos pais, por seu tratamento negligente, pelo divórcio deles, pelo favoritismo na família ou até mesmo por um abuso sexual. Nossa identidade não está em nossa história de dor, mas na história do amor de Deus por nós. É desse amor que precisamos viver, e tal compreensão não é automática. Há antes um tempo de luto, de choro e de acolhimento por parte de Deus.

Ao dizer que Deus lhe permitira esquecer a casa de seus pais, José estava afirmando que Deus o capacitara a perdoar. As lembranças permaneciam, mas já não o dominavam. Ele fora liberto das dores causadas pelas memórias do passado e podia olhar adiante com esperança e convicção de poder usufruir a vida que Deus lhe queria dar. José chegou ao Egito com todos os requisitos para ser uma pessoa rabugenta e amarga, mas ele mostra que não perdeu de vista o fato de que Deus nunca o abandonara, mesmo sem entender o que estava acontecendo. Ao dar nomes hebraicos aos filhos, ele não só demonstra sua fé em Deus como também deixa claro que não fora assimilado pela cultura egípcia. Ao contrário, assumira de vez os padrões divinos para sua vida.

Dar à luz Manassés foi um marco na vida de José. Ele optara por não se autodenominar irmão traído, filho e irmão abandonado, servo injustiçado. Em vez disso, escolheu ter sua identidade em Deus, que, embora tenha permitido tantas atrocidades na vida de José, não se esquecera dele. José optou por aceitar a soberania de Deus para dirigir sua vida, mesmo quando isso trouxesse sofrimento.

Todos nós precisamos de um momento Manassés em nossa vida. Todos nós precisamos dar à luz um Manassés, para que, por sermos habitados pelo Espírito Santo, possamos perdoar as falhas e os erros de nossos pais, dos que nos prejudicaram, dos que nos violentaram a alma. O que lhe falta para dar à luz um Manassés em sua vida? Não somos capazes de fazê-lo por nós mesmos, mas podemos recorrer a Deus, que nos prepara e capacita para esse momento.

Mas lancemos agora um olhar sobre a vida do outro filho de José.

Efraim: um novo estilo de vida apesar do passado doloroso

O outro filho de José também recebeu um nome muito significativo: "José chamou o segundo filho de Efraim pois disse: 'Deus me fez prosperar na terra da minha aflição'" (Gn 41.52). Tampouco se trata de um nome egípcio, mas hebraico, e significa dupla frutificação, dupla abundância.

Embora José tenha sido abençoado com dois filhos, o sentido de dupla abundância vai além dos dois filhos. José aponta para Deus como aquele que o fez frutificar duplamente: em casa, com os dois filhos, e na terra do Egito. Ele viu a mão de Deus gerar frutos em sua casa enquanto era usado por ele como elemento de bênção na casa do faraó, no Egito e no mundo, alcançando mais tarde sua família, que passava por dificuldades.

Se José houvesse alimentado mágoas, teria considerado aquele o momento da desforra, pois tinha poder para tal. Em vez de ir à casa de Potifar e desferido sua mágoa contra o ex-chefe, ele o honrou. Em vez de satisfazer sua carência por amor nos braços da esposa de Potifar, teve em Deus sua satisfação e manteve-se fiel ao patrão. Ao ser enviado injustamente à prisão, sem direito de defesa, em vez de murmurar como vítima, resolveu honrar o carcereiro e com isso ganhou sua confiança. Em vez de focar a si mesmo em um ato de autoproteção para evitar o sofrimento, voltou-se para fora e assim tornou-se bênção para o mundo.

Apenas a graça de Deus é capaz de transformar em sensível e compassivo com os necessitados e carentes um coração que tinha tudo para ser duro com os outros. Apenas a graça de Deus é capaz de transformar membros imperfeitos de uma família imperfeita em membros que vivenciam e compartilham sua graça.

Nessa caminhada, José via a mão de Deus sobre ele. Deus lhe permitira dar frutos a despeito de todas as suas dores. Como cristãos, de quem podemos lembrar? De Jesus. O profeta Isaías nos diz que pelas pisaduras de Jesus nós fomos sarados. Jesus é o ferido que cura. José foi o ferido curado por Deus, e agora ele frutificava numa terra que não era a dele: "Deus me fez prosperar na terra da minha aflição". Veja o contraste, prosperidade *versus* aflição. José tinha tudo para ser esquecido, mas Deus estava na jogada e agiu de forma sobrenatural sobre a vida de seu servo. José estava na aflição dentro do poço, mas Deus estava com ele no poço. José estava na aflição do assédio sexual da esposa de Potifar, mas Deus estava com ele naquela tentação. José estava na aflição da prisão, mas Deus estava com ele na prisão. E, por estar com ele, Deus o livrou da morte, permitindo que fosse vendido como escravo pois ele desejava usar José mais tarde e torná-lo um homem frutífero. Com certeza, treze anos de espera fizeram José ter uma visão transformada da vida. Como fez com José, Deus quer transformar nosso infortúnio em fruto a fim de vivermos como um Efraim.

Talvez, como Roberta, você esteja num tipo de Egito hoje. Talvez ninguém queira advogar sua causa e você se sinta no poço. No Egito, existe abandono, negligência, divórcio, perda de posição, dores, angústia, decepções com quem amamos ou de quem esperamos receber amor. Talvez você se sinta na terra da aflição, paralisado por acontecimentos do passado, recentes ou não. Mas Deus quer lhe oferecer um estilo de vida Efraim em sua terra de aflição. Perdoar não é esquecer. Perdoar é admitir a dor, a desgraça que lhe sobreveio, sem exigir pagamento por parte do ofensor. Chegará o tempo em que

Deus o tornará frutífero na terra de sua angústia, como José foi frutífero no Egito, como Jesus foi frutífero neste mundo. À medida que sua família e outras pessoas ouvirem sua história, perceberão em você um espírito perdoador, e isso as fará ver Jesus em sua vida.

Deus quer torná-lo duplamente frutífero em sua terra de aflição.

A reconstrução da família é fruto do perdão gerado pela graça

Quando José dá a seus filhos os nomes Manassés e Efraim, o texto não registra ou reporta um pedido de perdão dos dez irmãos pelo sofrimento que lhe fora imposto. Eles nem sequer se haviam encontrado. Nenhuma notícia havia de ambas as partes. A exemplo do que deseja para nós, Deus estava curando José de dentro para fora, de modo a reconstruir também a família.

A fome se espalhara pelo mundo, incluindo na terra em que moravam Jacó e seus onze filhos. Sabendo da fartura no Egito, os irmãos de José se dirigem para lá a fim de conseguir comprar comida. E quem eles encontram apesar de não reconhecerem? José. Mas José os reconhece. Suas perguntas intrigam os irmãos, que não entendem a razão delas. Em sua estratégia, José os chama de espiões, o que refutam imediatamente autodenominando-se homens honestos, em cuja casa vivem um pai idoso e um irmão caçula. Nesse momento, afloram as doces memórias e a saudade, mas José se mantém firme em sua decisão até o momento de revelar-se para os irmãos e expressar-lhes seu perdão, já concedido havia muito, mas não revelado. Pura graça!

Somente pela cruz de Cristo, onde nossos pecados foram perdoados, esse evento pode ser compreendido. Podemos até perdoar um ofensor sem que ele jamais venha a saber, contudo ao expressar-lhe o perdão, sem altivez, estamos comunicando graça. Deus nos comunica seu perdão por meio do sacrifício de seu Filho: "Mas Deus nos prova seu grande amor ao enviar Cristo para morrer por nós quando ainda éramos pecadores" (Rm 5.8). Na mesma linha de verdade, o Senhor diz: "Eu, somente eu, por minha própria causa, apagarei seus pecados e nunca mais voltarei a pensar neles" (Is 43.25).

Ao expressar aos irmãos sua dor do passado, entendemos como José foi capaz de permanecer aqueles anos todos de pressão, dor e saudade sem deixar-se controlar pelo sentimento de vingança e ira. Em vez de acusar os irmãos de malfeitores, José lhes diz:

> "Sou eu, José!", disse a seus irmãos. "Meu pai ainda está vivo?" Mas seus irmãos ficaram espantados ao se dar conta de que o homem diante deles era José e perderam a fala. "Cheguem mais perto", disse José. Quando eles se aproximaram, José continuou: "Eu sou José, o irmão que vocês venderam como escravo ao Egito. Agora, não fiquem aflitos ou furiosos uns com os outros por terem me vendido para cá. Foi Deus quem me enviou adiante de vocês para lhes preservar a vida. A fome que assola a terra há dois anos continuará por mais cinco anos, e não haverá plantio nem colheita. Deus me enviou adiante para salvar a vida de vocês e de suas famílias, e para salvar muitas vidas. Portanto, foi Deus quem me mandou para cá, e não vocês! E foi ele quem me fez conselheiro do faraó, administrador de todo o seu palácio e governador de todo o Egito.
>
> "Agora, voltem depressa a meu pai e digam-lhe: 'Assim diz seu filho José: Deus me fez senhor de toda a terra do Egito. Venha

para cá sem demora! O senhor poderá viver na região de Gósen, onde estará perto de mim com todos os seus filhos e netos, rebanhos e gado, e todos os seus bens. Ali eu cuidarei do senhor, pois ainda haverá cinco anos de escassez. Do contrário, o senhor e toda a sua família perderão tudo que têm'".

Gênesis 45.3-13

O que fez José permanecer esses dezenove anos em que esteve longe de casa, passando por abandono, humilhações e privações, sem amaldiçoar a Deus nem a seus irmãos traidores? O que fez José não perder a perspectiva de que Deus era o Deus da vida e não perder a fé? Foi a maneira como ele encarava a vida. Com base na perspectiva, no caráter de Deus, e não a partir dos eventos e das circunstâncias que ele não compreendia. Ao dizer "vocês me venderam", José não deixa de confrontar os irmãos, mas ao fazê-lo ele também expressa seu pensamento teológico. Perdão não implica fazer de conta que não se sentiu dor pela ofensa. Para perdoar é necessário enfrentar a dor da ofensa, verbalizá-la, caso contrário não existe perdão a oferecer. Ninguém é perdoado sem saber que ofendeu e como ofendeu. Se o ofensor não sabe que ofendeu, não precisa de perdão.

Ao dizer aos irmãos que Deus o enviara ao Egito a fim de salvar-lhes a vida (a vida daqueles que o traíram), de salvar a vida da família deles e de muitos outros, José revela como via Deus em sua vida. Ele entendia claramente a soberania de Deus. Talvez não a forma como Deus agia, mas sabia que Deus estava envolvido em tudo que lhe acontecera e que não o abandonara. Embora o fato de crer na soberania de Deus não nos impeça de sentir raiva e até ódio do ofensor, quando nos detemos para refletir que Deus tem o controle de qualquer situação e nele depositamos nossa fé, somos transportados do ódio para a paz e o perdão. Esse processo pode repetir-se várias vezes ao longo da vida, durante um dia, ou pode ocorrer de uma vez por todas. Deus nos trata de formas diferentes, pois sempre leva em conta aquilo de que precisamos e o que ele quer trabalhar em nós a fim de conduzir-nos à semelhança de Cristo.

Deus não faz de conta que não viu nossa dor. Ele está orquestrando um estilo de vida em que nossa dor e a insensibilidade daqueles que nos feriram se tornem uma marca de sua graça em nossa vida. O fato é que, se não passarmos por dores e pelas ofensas inerentes à vida, nunca vivenciaremos a graça de exercer o perdão. Nunca entenderemos a graça de Deus sobre nós, fruto do perdão obtido pelo sacrifício de Jesus. Embora Deus não deseje que sejamos ofendidos propositadamente para entender a graça de Jesus por nós na cruz, em seu amor por nós ele permite a ofensa e nesse contexto faz nascer, pela fé, sua graça em nosso coração, a fim de refletirmos Jesus neste mundo hostil.

José traz a família toda para o Egito, onde são recebidos pelo faraó (Gn 45—46). Embora houvesse perdoado os irmãos, o processo de cura ainda estava em andamento, uma vez que perdoar não implica passar uma borracha no passado. No entanto, a despeito das memórias ainda presentes, a decisão de apagar o débito do erro precisa ser tomada. E essa decisão deve ser tomada tantas vezes quantas forem necessárias a fim de que ela se arraigue cada vez mais em nosso interior.

A dinâmica do verdadeiro perdão

A família pôde conviver novamente, sem animosidades ou ciúmes, devido à graça do perdão estendido por José depois de duas décadas de separação. Jacó, pai de José, acabou morrendo no Egito. Atendendo ao pedido do pai de ser sepultado em sua terra (Gn 49.29-32), José seguiu para Canaã com uma caravana composta pela família dele, seus irmãos e um bom grupo de egípcios. Provavelmente, uma viagem cheia de recordações tanto para José como para seus irmãos. Trinta e sete anos antes, José fora para o Egito como escravo, acorrentado, humilhado, desprovido de liberdade. Agora, dirigindo uma caravana com mais de cem pessoas, ele vinha do Egito como líder, como estadista perante o qual o mundo se curvava a fim de receber ajuda. Os irmãos de José não haviam levado em conta a dor do irmão quando o venderam como escravo e, agora, tinham a oportunidade de experimentar a graça da compreensão e do amor que haviam negado ao irmão. Isso é graça. Uma loucura para a compreensão humana.

No entanto, de volta ao Egito após o sepultamento do pai, os irmãos voltam a ficar temerosos. Com a morte de Jacó, creem que José finalmente se vingaria deles. Mas vejamos o que dizem as Escrituras:

> Depois de sepultar Jacó, José voltou para o Egito com seus irmãos e com todos que o haviam acompanhado. Uma vez que seu pai estava morto, porém, os irmãos de José ficaram temerosos e disseram: "Agora José mostrará sua ira e se vingará de todo o mal que lhe fizemos".
>
> Por isso, enviaram a seguinte mensagem a José: "Antes de morrer, nosso pai mandou que lhe disséssemos: 'Por favor, perdoe seus irmãos pelo grande mal que eles lhe fizeram, pelo pecado que cometeram ao tratá-lo com tanta crueldade'. Por isso, nós, servos do Deus de seu pai, suplicamos que você perdoe nosso pecado". Quando José recebeu a mensagem, começou a chorar. Depois, seus irmãos chegaram e se curvaram com o rosto no chão diante de José. "Somos seus escravos!", disseram eles.

José, porém, respondeu: "Não tenham medo de mim. Por acaso sou Deus para castigá-los? Vocês pretendiam me fazer o mal, mas Deus planejou tudo para o bem. Colocou-me neste cargo para que eu pudesse salvar a vida de muitos. Não tenham medo. Continuarei a cuidar de vocês e de seus filhos". Desse modo, ele os tranquilizou ao tratá-los com bondade.

Gênesis 50.14-21

Somente agora os irmãos de José admitiram claramente o erro deles, o mal que haviam causado ao irmão. É importante ter em mente que o perdão nos relacionamentos familiares e interpessoais não pode depender da iniciativa do ofensor. Adiar o perdão significa permanecer escravo do ofensor e prolongar o tempo no poço da angústia. Não podemos esperar pelo arrependimento do ofensor para perdoar. Não, perdão é uma libertação pessoal, concedido no poder de Deus. Quanto mais demoramos a perdoar, mais tempo permanecemos na prisão da amargura. Quanto mais demoramos a perdoar, mais tempo deixamos o controle de nossa vida na mão do ofensor. Quanto mais tardia nossa decisão de perdoar, mais intoxicamos, literalmente, nosso corpo com substâncias prejudiciais ao coração e a outros órgãos. O prolongamento de um espírito vingativo e amargurado gera uma descarga de hormônios nocivos, que contribuem para a formação de coágulos capazes de causar até mesmo um acidente vascular cerebral.[4] Não é à toa que o apóstolo Paulo escreveu: "Sejam compreensivos uns com os outros e perdoem quem os ofender. Lembrem-se de que o Senhor os perdoou, de modo que vocês também devem perdoar" (Cl 3.13). Assim também disse Jesus: "Se um irmão pecar, repreenda-o e, se ele se arrepender, perdoe-o. Mesmo que ele peque contra você sete vezes por dia e, a cada vez, se arrependa e peça perdão, perdoe-o" (Lc 17.3-4).

Os irmãos de José esperavam punição, mas receberam graça. Esperavam vingança, mas receberam bondade. Esperavam ofensas e acusações, mas ouviram palavras afetuosas e não rancorosas. Bem diferente do que José ouvira quarenta anos antes. O sonhador não se arvorou de ter sonhado com a verdade, quando ainda era adolescente (Gn 37.5-11). Calou-se e perdoou. As palavras firmes, mas amorosas, de José refletem sua crença sobre o tipo de tratamento que Deus nos dispensa. Embora José não negue a realidade — "vocês intentaram o mal o contra mim"— deixa claro que Deus planejara tudo para o bem.

A graça de Deus muitas vezes parece loucura. Como alguém que sofrera como José seria capaz de perdoar os irmãos daquela forma? Como um Deus, sendo alvo da rejeição do mundo inteiro, vem a este mundo e se entrega para receber no próprio corpo o castigo pelo erro que não foi dele? Quando perdoamos estamos incarnando em nossa própria vida a vida de Jesus. Quando Jesus nos perdoou, tomou a dívida que era nossa e, tornando-a dele, pagou-a com sua morte na cruz.

Quando José diz "por acaso sou Deus para castigá-los?", encontramos nessa expressão alguns ensinamentos práticos. Primeiro, como o apóstolo Paulo nos ensina, a vingança pertence a Deus. Assim, quando meditamos ou agimos de forma vingativa, estamos assumindo o lugar de Deus, o que não só é pecado como demonstra nosso orgulho. Segundo, ao agir de forma vingativa, estamos dizendo que a vingança de Deus é muito leve e que nossa vingança é mais eficaz no que se refere a fazer justiça ao ofensor. Com isso, igualamo-nos ao ofensor uma vez que o ofendemos no mesmo nível de sua ofensa a nós. Quando nos apossamos da vingança e fazemos dela uma arma, ela se vira contra nós. Deus quer livrar-nos dessa arma, poupar-nos dessa dor. Por isso, mediante Paulo, ele diz: "Amados, nunca se vinguem; deixem que a ira de Deus se encarregue disso, pois assim dizem as Escrituras: 'A vingança cabe a mim, eu lhes darei o troco, diz o Senhor'. Pelo contrário: 'Se seu inimigo estiver com fome, dê-lhe de comer; se estiver com sede, dê-lhe de beber. Ao fazer isso, amontoará brasas vivas sobre a cabeça dele'" (Rm 12.19)

Terceiro, quando resistimos a perdoar, esquecemos que nosso pecado foi perdoado por completo em Jesus, simplesmente por seu amor por nós. Portanto, perdoamos porque fomos perdoados, perdoamos porque fomos amados independentemente do que somos e fizemos. Ao perdoar, comunicamos a mesma graça com a qual fomos perdoados. Se não pensarmos assim, a mágoa nos voltará à mente com frequência, adiando mais e mais nossa libertação da dor.

Por causa do perdão oferecido por José, sua família foi reunida e reconstruída. Se José tivesse alimentado sua mágoa, teria deixado sua família morrer de fome em Canaã, mesmo dispondo do poder de salvá-la. Em vez disso, ao perdoar os irmãos, José começou o processo de cura da família. A graça vivenciada por ele permitiu que a família se libertasse da sombra deixada por Abraão, Isaque e Jacó expressa nos comportamentos repetitivos. José rompeu esse ciclo familiar passado de pai para filho, o ciclo de mentira, de favoritismo, de não esperar pelo tempo de Deus, de ódio dentro da família, de comportamentos abusivos e de falta de amor.

Qualquer ciclo abusivo dentro de uma família pode ser rompido quando as vítimas de abuso, enquanto se levantam para expressar sua dor, comunicam o perdão e a graça de Deus. O perdão rompe os ciclos perniciosos do pecado ao mesmo tempo que restaura os laços desfeitos, reaproximando os que estavam distantes. Em contrapartida, quando a vingança é desferida, o ciclo tende a se repetir indefinidamente.

A louca graça de Deus exercida por meio de atos amorosos traz libertação para os membros ofendidos da família, além de trazer grande possibilidade de mudanças. Assim foi com a família de Jacó no Egito, e assim pode ser com qualquer membro de uma família disfuncional, cuja alma, ao ser invadida pela graça, gera um novo coração. O perdão é fruto dessa graça. Os irmãos de José mereciam punição, mas o perdão liberado reaproximou a família. Já não havia inimizades nem disputas.

O sonho de José se concretizara, porque o sonho dele era o sonho de Deus. Deus o havia escolhido para as boas obras de que o mundo da época precisava. A experiência de José foi parte do plano de Deus não só por causa do futuro de seu povo, Israel, mas também pela família de Jacó e seus futuros descendentes. José foi um instrumento de Deus para romper o ciclo comportamental daquela família desde Abraão. Necessariamente, Deus não transformou a família de Jacó em pessoas perfeitas, mas a graça praticada por um de seus membros deu início a um novo ciclo, no qual havia harmonia e paz apesar das imperfeições de todos. Isso é a graça perfeita e restauradora de Deus.

Esse mesmo raciocínio se aplica hoje a nossas famílias imperfeitas. Não fomos salvos para que nos deliciássemos com nossa salvação apenas após a morte. Fomos salvos para andar nas boas obras que Deus nos preparou de antemão (Ef 2.8-10). No entanto, Deus só nos dará a visão completa do que ele deseja fazer através de nós quando abandonarmos nossa trilha de ódio e raiva, e não deixarmos que nossa identidade seja dominada por nosso passado.

Compreender esse caminho não é fácil. José estaria pronto para ser o segundo no país mais poderoso da época se não houvesse passado por todas essas coisas? Aos 17 anos, seu coração era ainda altivo, inexperiente e focado apenas em deliciar-se por ser o preferido do pai. A traição, a injustiça, o assédio, tudo isso forjou nele o caráter de que um líder como ele precisaria para administrar o poder que lhe fora dado sem corromper-se por causa do título, do dinheiro e das honras do cargo.

Nosso amado Senhor Jesus, embora fosse Deus, era inteiramente homem. Ele não precisaria ter passado pelo que passou. Mas, porque enfrentou injustiças, traições, abandono e morte de cruz, ele compreende nossas dores e pressões e ouve nosso clamor: "Visto, portanto, que temos um grande Sumo Sacerdote que entrou no céu, Jesus, o Filho de Deus, apeguemo-nos firmemente àquilo em que cremos. Nosso Sumo Sacerdote entende nossas fraquezas, pois enfrentou as mesmas tentações que nós, mas nunca pecou" (Hb 4.14-15). É nesse processo que Deus nos equipa para sermos "Josés" na corte dos faraós deste mundo.

Talvez nos perguntemos como ter um momento Manassés e viver uma vida Efraim. O primeiro passo é sermos transparentes com Deus e confessarmos nossa mágoa e dor. Confissão é o caminho inicial para alcançar a cura, e a caminhada deve prosseguir rumo ao perdão daqueles que nos magoaram e feriram. Nossas experiências talvez tenham marcas profundas, pois de quem mais esperávamos amor, respeito e sensibilidade recebemos indiferença e silêncio. Talvez tenham até fugido deixando-nos sós para enfrentar as consequências. Mas perdoar é uma questão de decisão. Não quer dizer que nunca mais nos lembraremos de nossas dores, mas quando as lembranças nos vierem também lembraremos que decidimos não mais cobrar de quem nos magoou a dívida que havia conosco. Perdoar é abrir mão dessa cobrança, mesmo se o outro não nos pedir perdão ou não reparar seu erro. Perdoamos para libertar-nos do outro, para experimentar uma vida interior não voltada para a ofensa, mas para a graça. Como o texto de Romanos 12 nos ensina, em vez de meditar na ofensa recebida, oremos pelo ofensor.

Finalmente, perdoar é algo divino, e não humano. Se é divino, não temos como fazê-lo por nossa própria força. Temos de recorrer a Deus a fim de que nos capacite a perdoar. Se você conhece Jesus, o Espírito Santo habita em você, e é o Espírito de Deus que o habilitará a perdoar. Cada vez que se sentir tentado a meditar na ofensa, o Espírito Santo o lembrará de que você já ofereceu o perdão. Por isso, você pode pedir a Deus: "Pai dá-me o meu momento Manassés e usa minha vida de forma que eu frutifique uma vida Efraim". Será que isso também não ilustra Filipenses 4.13: "Posso todas as coisas por meio de Cristo, que me dá forças"?

Vimos como o perdão foi crucial para José. E, conforme disse o pastor Davi a Roberta, ele também é crucial para cada um de nós. Jesus deseja acolhê-lo como você está. Talvez hoje não seja o dia em que você decidirá perdoar, pois trata-se de um processo para o qual Deus o capacitará. Mas você tem a direção para encontrar a liberdade e a paz de que precisa. Fale com Deus sobre o que tem ferido você. Chore, coloque-lhe suas perguntas e decepções, e escolha crer que ele o está ouvindo, sem condenações. Jesus nos cura à medida que nos aproximamos dele, quando reconhecemos nossa incapacidade e aceitamos que apenas nele temos os recursos e o poder de lidar com nossas dores, mágoas e decepções. Peça-lhe orientação sobre como abordar a pessoa que você magoou, se esse for o caso, ou como perdoar quem o ofendeu e assim honrar a Deus.

Um mentor ou mentora, pessoa temente a Deus e madura na fé, também poderá ajudar você proporcionando-lhe um tempo de estudo bíblico e de oração. Com isso, você se sentirá fortalecido em sua caminhada de recuperação. Também não tenha medo de buscar ajuda profissional, de um psiquiatra ou mesmo de um terapeuta. As dores persistentes podem ressurgir furiosamente antes de serem curadas por Deus. Acima de tudo, lembre-se de que, se você é a vítima do abuso, não é culpado ou culpada pela agressão física ou moral que lhe foi infligida. Busque ajuda, abra seu coração a Deus e ele derramará sua graça no tempo dele. Como José, espere em Deus.

5
O amor de que a família precisa: A história de Jacó, Raquel e Lia

....

*O caminho da graça é o ponto de reencontro
da família imperfeita.*

*"Quem bebe desta água logo terá sede outra vez,
mas quem bebe da água que eu dou nunca mais terá sede.
Ela se torna uma fonte que brota dentro dele
e lhe dá a vida eterna."*

João 4.13-14

Passaram-se três meses desde o último encontro do pastor Davi com a família de Raul e Roberta. Ruanita continuava fora de casa, mas mantinha um esporádico contato telefônico com os pais, que conseguiram certo alívio das preocupações causadas pela situação. Ela dizia estar bem e que precisava de um tempo distante da família.

Um dia o telefone toca na casa do pastor, e desta vez era Raul, marido de Roberta. Com uma voz quase inaudível ele pergunta ao pastor se era possível conversarem. No dia seguinte, encontram-se para um café. O pastor se perguntava o que Raul teria a dizer-lhe, se se tratava de algo referente a Ruanita. Mas o fato de Raul procurá-lo para uma conversa animou o pastor e o fez pensar com grandes expectativas sobre o que Deus poderia fazer naquela família.

Raul chegou ao encontro de ombros caídos e olhar distante,

dando a sensação de que as notícias não seriam boas, e de fato não foram. Ele e a esposa estavam se separando. Um longo silêncio seguiu-se à fala de Raul. Questionado pelo pastor Davi se esse era o caminho, Raul caiu em lágrimas. Passado esse primeiro momento de emoção, o pastor pediu que lhe contasse um pouco de sua história, uma vez que já ouvira o lado da família dele. Raul começou dizendo que Roberta, sua esposa, pedira o divórcio porque, no passado, ele se recusara a lidar com o estupro que ela sofrera por parte do cunhado, irmão de Raul. Além disso, durante os 24 anos de casamento, segundo ela, o marido sempre fora frio, insensível, distante e nunca se propusera contar a verdade sobre Ruanita, o que para Roberta significava que Raul não a amava. Roberta sempre usava a frase "se você me amasse, você...", e Raul, infelizmente, costumava retrucar da mesma forma.

A história da família de origem de Raul causava-lhe dor e vergonha. O abuso de que sua esposa fora vítima era um fato recorrente em sua família. Seu avô abusara do irmão de Raul. Ao tomar conhecimento do fato, o pai não acreditou, ou não quis acreditar. O avô também havia tentado abusar de Raul, mas ele sempre se desvencilhara do avô, por ser mais forte e ágil que o irmão. Cada vez que os irmãos tentavam puxar o assunto com o pai, eram duramente repreendidos, uma vez que este não permitia que fosse dito coisa alguma que pudesse macular a imagem de homem reto e intocável que o avô ostentava como um dos líderes da igreja de origem.

Assim, Raul cresceu com um misto de mágoa, distanciamento do pai, carência de amor paterno e decepção com o avô, pelo tipo de vida dupla que este levava. Quando encontrou Roberta, sentiu nela um possível porto seguro, imaginando ter encontrado alguém que o amaria e que seria uma fonte supridora do amor que não teve em casa. Por sentir-se envergonhado, Raul demorou muito a abrir o coração com Roberta sobre seu passado. Ele desejava uma família perfeita e na direção oposta da de origem. O pastor Davi observou que Raul usara a mesma expressão de seu filho Rony, quando este falara com o pastor meses antes: "gostaria de ter uma família perfeita".

Os primeiros anos de casamento foram bons. Roberta procurava entender o jeito reservado do marido, que fugia dos conflitos na tentativa de criar uma família diferente da que ele próprio tivera. Mas então seu irmão estuprou Roberta, e ela engravidou. Raul fugiu da dor da confrontação dadas as feridas adquiridas nos anos de infância e adolescência naquele ambiente nocivo. Para Raul, fora horrível ver a história repetir-se, agora com seu irmão violentando a própria cunhada. Assim que Roberta descobriu a gravidez, ela e Raul até pensaram no aborto, mas Roberta não desejava cometer um assassinato. Quando Ruanita nasceu, Raul sentia muita culpa por sentir que não protegera a própria esposa. Apesar de todo o contexto, Roberta amava a filha, ainda que Raul percebesse que para o casal a menina representava uma marca de dor.

O irmão de Raul fugiu da cidade, e os irmãos nunca mais se falaram. Durante todos os anos que se seguiram a esse evento trágico, Raul sentiu-se impotente, dominado pela culpa e muito amargurado com o irmão, e por consequência, com o pai e o avô. Incapaz de lidar com a situação, deixou-se afastar de Roberta e mentiu para Ruanita, e naquele momento estava arcando com as consequências. De certa forma, ele sentia que também abusara emocionalmente de Roberta na expectativa de que ela carregasse esse fardo, proibindo-a de falar a verdade com quem quer que fosse pela vergonha de que tudo viesse à tona. Raul agora reconhecia que muitas vezes agira tempestivamente, dirigindo palavras impróprias e abusivas contra a esposa, e sabia que precisava de ajuda.

A história de Raul não o torna menos amado por Deus. Ele talvez tivesse algumas perguntas em seu coração às quais somente Deus poderia responder. Não é incomum que essas dúvidas nos façam duvidar do amor de Deus por nós. Mas a verdade é que Deus sempre tem um caminho de cura para a alma ferida em consequências das experiências da vida. Deus tem o tempo certo para fazer nossas dores ressurgirem a fim de nos curar do passado e nos dar um futuro cheio de esperança.

As Escrituras nos trazem relatos de esperança ao mencionar pessoas que enfrentaram emoções como as de Raul. Em Salmos 69.1-3, Davi diz:

> Salva-me, ó Deus,
>   pois as águas subiram até meu pescoço.
> Afundo cada vez mais na lama
>   e não tenho onde apoiar os pés.
> Entrei em águas profundas,
>   e as correntezas me cobrem.
> Estou exausto de tanto clamar;
>   minha garganta está seca.
> Meus olhos estão inchados de tanto chorar,
>   à espera de meu Deus.

Davi começa expressando a dor de sua alma, mas logo à frente, nos versículos 13,16-18, ele diz:

> Eu, porém, continuo orando a ti, Senhor,
>   na esperança de que, desta vez, mostrarás teu favor.
> Responde-me, ó Deus, por teu grande amor;
>   salva-me por tua fidelidade. [...]

> Responde às minhas orações, ó Senhor,
> pois o teu amor é bom.
> Cuida de mim,
> pois a tua misericórdia é imensa.
> Não te escondas de teu servo;
> responde-me sem demora, pois estou aflito.
> Vem e resgata-me;
> livra-me de meus inimigos!

Apesar da dor intensa na alma e até certa dúvida em relação a Deus, Davi ora ao Pai renovando sua confiança nele. Esse mesmo Deus que socorreu Davi é o Deus que quer socorrer Raul, a mim e a você.

O pastor então sugeriu a Raul alguns encontros dos quais Roberta também participasse, e sugeriu-lhe que para o próximo encontro o casal lesse a história de Jacó e Lia, em Gênesis 29.

A ânsia de Jacó por ser amado

No dia marcado, para certa surpresa do pastor Davi, o casal apresentou-se e tinha muitas perguntas sobre a história de Jacó e Lia. Jacó enganou, foi enganado, abusou de outros e foi vítima de abusos. Magoado com o próprio passado, ele buscava ser amado, como se vê de sua decisão de trabalhar catorze anos para ter a mulher que ele amava e desejava.

Jacó abusara do pai, Isaque, ao enganá-lo e passar-se por uma pessoa boa, que na realidade não era. Ele mentiu, agrediu o irmão, foi conivente com a mãe e fugiu da realidade da dor que se misturava à culpa. A fuga de casa por causa da iminente vingança do irmão, que desejava matá-lo, e seu sentimento de culpa geraram em Jacó uma espécie de vazio. Ele agora era um irmão desprezado, abusador, explorador e ainda passaria a viver longe da pessoa que mais o amava, a própria mãe. Se ele tinha um sonho de criar uma família, pelo menos por agora esse sonho fora destruído. Apesar de ter conquistado o direito da primogenitura, ao fazê-lo por meio de um esquema corrupto, Jacó não tinha como usufruir dele dada a ameaça de morte e a iminência da fuga. Aliado a isso, ele precisava lidar com a rejeição do irmão e a falta de amor do pai. Em casa, percebera a preferência de Isaque por Esaú, experimentando, portanto, a dor da rejeição por aquele de quem talvez mais ansiasse receber amor. Rejeição e desprezo são duas palavras que mais tarde pesarão na relação de Jacó com sua família.

Então, conforme relatado em Gênesis 29, Jacó chega a Harã, onde morava seu tio Labão. Foi uma viagem de cerca de 750 quilômetros. Embora Jacó tenha tido uma experiência significativa com Deus no caminho, nem sempre um primeiro encontro gera uma mudança repentina de vida. Assim, encontramos em Harã um Jacó sedento de amor, vazio e perdido, sem saber ao certo quem ele era. Com certeza, a saudade de casa, a culpa, a carência do amor paterno e materno geravam em Jacó uma crise de identidade e uma busca por algo que nem ele mesmo sabia definir, ainda que para nós fique claro. Sua busca era por ser amado. No entanto, essa busca ocorria no lugar errado. No fundo Jacó estava vivendo uma vida dominada pela culpa, pela perda da identidade e pela falta de rumo. E ele mesmo havia cavado essa situação.

Não seria isso o que Raul buscava? As dores de seu passado na casa dos pais, a decepção com o pai, que fora passivo no caso do abuso sexual dos filhos perpetrado pelo avô, e o próprio ato abusivo de que os jovens foram vítimas podem ter gerado em Raul esse vazio, essa busca por ser amado.

Conforme diz a especialista em relacionamentos Suely Buriasco: "Pessoas que sofreram com a rejeição na infância e que não aprenderam a lidar com sua dor tendem a transmitir a própria vivência de abandono emocional aos filhos, que, por sua vez, assimilarão a sua maneira".[1]

Ruanita e Raul sofriam da mesma carência: a carência de um pai amoroso. Involuntariamente, Raul repetira o ciclo de carência com os próprios filhos. Por mais que às vezes Raul favorecesse a filha, ela sentia um vazio, uma falta de conexão. Um bom pai nem sempre é o pai que diz que ama, mas o pai que descobre um meio de conectar-se com o filho da forma que ele precisa. Não que Raul não fosse um bom pai, mas as dores não tratadas do passado geraram, sem que ele se desse conta, um distanciamento totalmente perceptível para os filhos, que sentiam a ausência paterna, e para a esposa, que se sentia desprezada pelo marido.

Ser transparente e reconhecer nossas lutas internas é um dos passos mais cruciais que Deus nos provê para curar as frustrações e os sofrimentos da alma. O Espírito Santo nos traz à mente o que ele quer tratar e curar. Mas vejamos como a história de Jacó se desenrola.

Ainda em Gênesis 29, Jacó tem um encontro com a família materna. É interessante que o encontro inicial se dê em um contexto de pastores de ovelhas, aos quais Jacó pergunta se conheciam Labão, irmão de sua mãe, Rebeca. Ele descobre estar no lugar certo, mas demonstra alguma altivez ao questionar os pastores a razão de não darem de beber imediatamente àquelas ovelhas que se encontravam na beira do poço. Os pastores respondem que era costume esperar até que todas as ovelhas chegassem. Aparentemente Jacó queria ficar a sós com a mulher que se aproximava. Entretanto, de acordo com o costume local, a mulher que cuidava do rebanho deveria remover a pedra do poço.[2]

Quando Raquel chega, Jacó, que não era um homem do campo como seu irmão Esaú, contraria o costume. O menino preferido da mãe e criado dentro de casa mostra-se forte e move a pedra, comumente muito pesada. Essa cena é entendida por alguns como um ato carregado de aspirações de um futuro envolvimento afetivo.[3] Ainda que inconscientemente, Jacó se preparava para isso. Quem sabe aquela mulher pudesse preencher seu vazio. Jacó começava a dar sinais confusos do que ele entendia por amor, sexo e busca de autorredenção ou libertação da culpa.

Quando o vazio toma proporções gigantescas na alma de alguém ferido, levando-o a práticas escusas, o clamor por ser amado e encontrar a própria identidade o faz agir de maneiras inusitadas. Era como se a alma estivesse faminta por algo que a própria pessoa não sabe definir, mas que no fundo nada mais é que um clamor para ser amado e importante para alguém, e para encontrar significado para a vida. Muitas vezes essa busca é permeada pela culpa por algo que fez e pelo qual ele pensa jamais poder ser perdoado ou remediado. Não raro, essa pessoa para quem se busca ser relevante ou por quem se busca ser amado é o próprio pai ou a mãe, que se mostrou incapaz de dar o amor ou o cuidado necessário ao filho.

Jacó carregava esse vazio trazido de casa. Isaque mostrara favoritismo. Jacó fora o filho menos amado. Talvez por isso, e para comprar o amor do pai, ele tenha se aliado à mãe. Mas quando o amor é comprado, nunca preenche o que precisamos. Somente quando é fruto da graça, o amor nos faz sentir importantes e nos livra da escravidão de termos de fazer alguma coisa para sermos importantes para alguém de quem esperamos receber amor.

A culpa, mesmo não reconhecida, e o inexistente senso de pertencimento geravam em Jacó um anseio, o mesmo anseio a que Blaise Pascal se refere na célebre frase: "Existe um vácuo em forma de Deus no coração de cada homem que não pode ser satisfeito por nenhuma coisa criada mas somente pelo Deus criador, que se fez conhecido através de Jesus". De certa forma, a busca para preencher esse vácuo estava apenas começando na vida de Jacó. Com certeza, seu choro em alta voz revela algo guardado no mais fundo de seu ser (Gn 29.11). O verbo aqui é o mesmo usado em Gênesis 45.2 para referir-se ao choro de José no reencontro com os irmãos, que o venderiam como escravo para o Egito décadas depois. Ao enfrentar a dor do passado causada pelos irmãos, José, sem poder conter a emoção, chora em alta voz e de uma forma tão profunda que os que estavam longe puderam ouvir.

Certamente faziam parte dessa emoção a gratidão de Jacó a Deus por ter chegado à casa dos parentes e por conceder-lhe um lugar seguro, distante de quem queria assassiná-lo, e a esperança de encontrar alguém que o satisfizesse, que o fizesse sentir-se inteiro e significativo. E essa pessoa poderia ser Raquel. Mas, no encontro de Jacó com Raquel, esse choro também prenuncia a busca por cura. É o processo que Deus usará para resgatá-lo da profunda confusão oriunda de seu passado. Não há abuso, abandono, negligência ou decepção que nas mãos de Deus não possam ser curados e transformados em marcas da graça divina.

Jacó ama de uma forma confusa

Jacó é recebido carinhosamente por Labão. Depois de um mês trabalhando para o tio, Labão traz uma excelente questão:

"Você não deve trabalhar de graça para mim só porque somos parentes. Diga-me qual deve ser o seu salário" (Gn 29.15). A resposta de Jacó é imediata. Raquel. Ela era bonita, atraente, adorável. Seu corpo era singular. Jacó estava tão impactado pela beleza de Raquel que sua incapacidade financeira para pagar o tradicional dote pela noiva é substituído por sete anos de trabalho. O impressionante é que esse amor doentio por Raquel o leva a pagar múltiplas vezes mais do que seria o dote normal, cerca de trinta siclos, valor correspondente a um mês de salário da época. Por que todo esse esforço? Sim, ele estava apaixonado, amor à primeira vista, mas havia algo relacionado a sua alma, seu passado, sua busca por ser amado. Assim, trabalhar sete anos por Raquel foi como passear com ela de mãos dadas em um parque (Gn 29.20).

Não há nada errado em desejar ser amado ou sentir-se importante para alguém. O problema é quando Deus está excluído desse processo e se torna menor que o objeto do amor. Jacó estava fazendo de Raquel sua fonte de segurança, propósito e significado, mas ao mesmo tempo não estava construindo um sentimento de amor por uma esposa. Ao que parece, estava mais motivado pelo prazer que a beleza de Raquel lhe traria. Era como se Raquel fosse a pessoa que o resgataria do fundo do poço em que se encontrava e lhe traria de volta a razão de viver, apaziguando sua culpa pelos erros do passado. O amor por Raquel tornou-se uma fonte de expectativas que nem Raquel nem qualquer ser humano seria capaz de suprir.

Quando Jacó completa os sete anos de trabalho para pagar o dote de Raquel, ele usa uma expressão que intriga alguns comentaristas. Ao procurar Labão para o pagamento, Jacó diz: "Cumpri minha parte do acordo. Agora, dê-me minha esposa, para que eu me deite com ela" (Gn 29.21). Por trás dessa fala, pode estar o que movia Jacó, uma impaciência sexual, embora também seja uma forma figurada de dizer a Labão que havia chegado a hora de ter sua esposa.

A desilusão de Jacó

Com certeza havia amor no coração de Jacó, foram sete anos de espera, sete anos de sonhos românticos, sete anos de fantasias. Mas Jacó estava nas mãos de Labão. Aqueles sete anos de espera teriam um fim desastroso. Labão nunca fez de fato um acordo com Jacó quando este se propôs trabalhar sete anos por Raquel. A resposta de Labão à proposta de Jacó diz tudo: "Melhor entregá-la a você do que a qualquer outro" (Gn 29.19). Talvez já estivesse pensando no que aconteceria findos os sete anos: não só tiraria proveito de um trabalhador grátis como no acordo de casamento entregaria também Lia, a filha menos desejada.

Quando finalmente parece que a paixão de Jacó se consumaria, algo acontece:

> Labão convidou toda a vizinhança e preparou uma grande festa de casamento. À noite, porém, quando estava escuro, Labão tomou Lia e a entregou a Jacó, e Jacó se deitou com ela. (Labão deu sua serva Zilpa a Lia para servi-la.)
>
> Na manhã seguinte, quando Jacó acordou, viu que era Lia. Então Jacó perguntou a Labão: "O que o senhor fez comigo? Trabalhei sete anos por Raquel! Por que o senhor me enganou?".
>
> Labão respondeu: "Aqui não é costume casar a filha mais nova antes da mais velha. Espere, contudo, até terminar a semana de núpcias, e eu também lhe entregarei Raquel, desde que você prometa trabalhar mais sete anos para mim".
>
> Gênesis 29.22-27

Jacó é enganado. Ele "dorme com Raquel, mas acorda com Lia". Esse equívoco grotesco pode ter ocorrido por algumas razões. Em primeiro lugar, as festas de casamento duravam alguns dias, regadas a muito vinho, especialmente na primeira noite. Segundo, até a noiva ser levada para a tenda ou câmara do noivo, ela era vestida com uma túnica que a cobria da cabeça aos pés. Talvez por causa da escuridão da noite e da bebida, Jacó não tenha conseguido ver com quem estava dormindo. Mas pode haver uma terceira razão. Jacó questiona Labão: "Por que o senhor me enganou?". Ora, quem era conhecido por ser enganador? Quem havia enganado o pai e o irmão? Jacó poderia estar "bebendo do próprio veneno".

Até aquele momento, Deus havia demonstrado paciência com Jacó. Mas para que os planos de Deus para Jacó se consumassem este precisava ser confrontado. Jacó enganara, abusara, roubara, e até agora tudo parecia bem com ele. Parecia até que Deus o estava abençoando. Mesmo sem dinheiro para pagar o dote da mulher que amava, ele havia conseguido um jeito de conquistar o que queria. Mas, como Deus desejava tratá-lo por inteiro, usou a astúcia de Labão para disciplinar Jacó, cujo sonho se tornava quase um pesadelo.

Há, aqui, alguns pontos de convergência entre a história de Jacó e a família de Raul e Roberta. O pastor Davi conhecia o irmão de Raul e sabia que ele continuava a fugir da realidade, sem paz, distante da família e sem conhecer Ruanita, levando uma vida errante que com certeza o atormentava. Deus nos ama, mas não deixa o pecado impune. Ao mesmo tempo que ele tratava Raul, a esposa e os filhos, disciplinava o irmão de Raul ao entregá-lo às consequências de seus atos. Raul, por sua vez, enfrentava um misto de sentimentos quanto ao irmão, à esposa e Ruanita. Ora os amava, ora sentia repulsa por eles, o que o fazia pensar que Deus não estava sendo justo nisso tudo. A questão é que nem sempre entendemos Deus. O que temos certeza é que ele deseja curar-nos da dor, mas a cura demanda perdão. Muitas vezes Deus permite que decepções ou catástrofes invadam nossa vida para transformar nosso interior.

Àquela altura da vida de Jacó, Deus desejava mostrar que o que Jacó procurava não estava em Raquel. O que Jacó procurava apenas Deus poderia prover. Não temos como saber a extensão do sentimento de Jacó ao acordar aquela manhã, talvez já sóbrio, e encontrar Lia em vez de Raquel. Sentindo-se enganado, viu os sonhos ruírem. Mas também não temos como imaginar os sentimentos de Lia, que certamente foi capaz de ler no rosto de seu marido, uma vez que o casamento fora consumado, a profunda decepção.

Talvez tenha passado pela cabeça de Jacó o que ele fizera com seu pai, Isaque. Isaque sonhara abençoar Esaú, mas bendisse Jacó. Quem foi o responsável pela dor de Isaque? Foi na escuridão da deficiência visual do pai que Jacó o enganou. Agora, na escuridão da noite de núpcias, Jacó fora enganado por Labão. Em vez de acariciar Raquel, tocava em Lia. Duas coisas estavam acontecendo naquela câmara nupcial. Deus começava a disciplinar Jacó, para trazê-lo de volta ao caminho, e mostrava-lhe que em última análise a palavra final sobre sua vida era de Deus, e não dele. Era inútil a estratégia de Jacó para redimir-se. Apenas Deus poderia redimi-lo do erro do passado. Era inútil buscar em Raquel o amor que ele não recebera do pai. Apenas Deus pode suprir o que não recebemos da fonte correta. No fundo, por amor a Jacó, Deus estava destruindo na vida dele o ídolo que ele havia construído: Raquel.

Em meio à dor, Deus nos constrói para um novo momento. Lia não conhecia nada do Novo Testamento, nem do amor de

Deus, ainda, mas isso não a impediu de descobrir mais tarde que, mesmo sendo indesejada, fora alvo dos olhos de Deus. Assim é também conosco. Passamos por momentos em que tudo parece obscuro, feio, sem esperança e que Deus nos esqueceu. Mas Deus age justamente ao contrário. Ele usa nossas circunstâncias adversas não só para nos levantar e moldar, mas também para tratar o que ele deseja mudar e curar dentro de nós.

Embora o pano de fundo do texto bíblico seja a experiência conjugal de Jacó e Lia, ilustra muito do que acontece em nossa vida. Construímos castelos, sonhamos com uma carreira de sucesso, trabalhamos duro para gerar uma empresa lucrativa e no topo nos desgastamos para construir uma família feliz. Mas no passado, no presente ou no futuro, muitas vezes "dormimos com Raquel e acordamos com Lia". O crucial é saber como atravessar esse momento de decepção e frustração.

Algo assim ocorre com o casal Raul e Roberta. O marido estava carente de amor, mas também cheio de raiva de seu irmão, pai e avô, e essa raiva acabou se voltando contra si mesmo e a família. Ele precisava se livrar da ideia de que teria sido feliz se aquele evento do passado não houvesse acontecido. No fundo, Raul esperava receber de Roberta o que não tivera em seu lar de origem, e quando ela foi estuprada, sua fonte de alegria e esperança foi manchada e destruída. Roberta agora estava "manca" e perdera a beleza e pureza que ele esperava ver nela. Com isso, vieram o distanciamento, a perda da confiança de quem ele mais esperava receber amor, e o consequente bloqueio do relacionamento. O medo e a culpa por se achar um protetor fraco para a esposa e a luta para mostrar-se forte abriram um vazio. Mas, apesar de Raul não ser o culpado pelo estupro e o resultante dano emocional da esposa, sua falsa culpa também a violentara emocionalmente, pois ele se havia afastado dela e se tornado insensível em relação a ela. Isso tudo reafirmou em Roberta o sentimento de nojo que ela sentia de si mesma por causa do estupro, o que vinha destruindo-a. O problema é que Raul procurara preencher seu vazio da mesma forma que Jacó.

Roberta, por sua vez, guardava os anseios de uma esposa fiel. Involuntariamente ferida pelo marido, ela se sentia inferior, desprezada e sem esperança de receber amor de um cônjuge distante, amargo e muitas vezes insensível. Em sua alma, havia um clamor para perdoar o cunhado e curar a dor havia tanto sentida. Muitas vezes, ela talvez tenha se sentido como Lia na noite de núpcias. Mas, quando a dor for curada, dela também sairá água viva que saciará o marido e a família, e sua história de vida abençoará os que a rodeiam.

Entretanto, embora tanto Raul como Roberta cressem no cuidado de Deus para restaurar sua vida e sua família, ainda havia um caminho que o casal precisava percorrer. À medida que a Palavra de Deus nos alimenta a alma, nossa confiança em Deus é fortalecida e experimentamos transformações talvez nunca imaginadas.

Jacó também tinha um caminho a percorrer. Embora se desse conta de que havia sido enganado e confrontasse o sogro, vilão e egoísta, ele encontrou outro caminho para ter Raquel para si. Ele se comprometeu a trabalhar mais sete anos por Raquel.

A lição ainda não fora aprendida.

O anseio de uma pessoa não desejada

Lia foi colocada pelo pai em uma situação muito delicada. Labão usara a estratégia do engano para livrar-se de uma filha que talvez não viesse a se casar por causa da aparência. Labão também abusa de Lia. O texto de Gênesis 29.17, em diferentes traduções, mostra claramente o contraste entre Lia e Raquel:

> Os olhos de Lia eram sem brilho, mas Raquel tinha bela aparência e rosto atraente. (NVT)

> Leia, porém, tinha olhos tenros, mas Raquel era de formoso semblante e formosa à vista. (RC)

> Lia tinha os olhos baços, porém Raquel era formosa de porte e de semblante. (RA)

> Lia tinha olhos meigos, mas Raquel era bonita e atraente. (NVI)

O contraste estabelecido no texto é relevante quando lemos a descrição do relacionamento de Jacó e Lia. Os olhos de Lia causavam uma diferença tremenda na aparência dela. A palavra hebraica traduzida por "sem brilho" ou "baço" é *rak*, que significa tenra, delicada, mas também pode significar fraca, caída e, numa tradução mais livre, vesga.[4] O foco do texto é simplesmente apontar uma diferença entre Raquel e Lia, e mostrar que Raquel era a preferida de Jacó mais por razões estéticas que meritórias.

Além disso, ao casar-se com Jacó, Lia tornou-se um item mercadológico, imposto num processo de casamento para não ficar indefinidamente na casa do pai. Lia é a menina não desejada, de aparência inferior. A esposa menos amada. Embora não tenha sido totalmente desprezada por Jacó (Gn 29.30), entendemos que Lia passaria a viver uma competição contínua com a irmã pelo amor do marido. Jacó amava mais Raquel do que Lia.

Como o desprezo é uma forma de abuso ou violência doméstica, não é exagero imaginar que Lia se sentisse um lixo como mulher. Todo esse contexto gera nela o anseio de ser querida e a busca por satisfazer esse amor, exatamente como ocorria com Jacó. Da mesma forma que Jacó, Lia tenta achar esse amor na fonte errada e, querendo conquistar o marido, idolatra-o. A exemplo de Jacó, que olhara Raquel como sua fonte de identidade e resgatadora de seu passado, Lia fixa os olhos em Jacó como aquele que a resgataria da competição inglória com a irmã, transformando em brilhantes seus olhos tristes ou defeituosos e fazendo dela uma pessoa relevante. Enquanto Jacó tentou achar esse amor no sexo, Lia tentou achá-lo na maternidade. Será que Raul e Roberta conseguiam ver a semelhança entre a luta deles e a de Jacó?

Na luta de Lia, é interessante notar que sua maneira de nomear os filhos revela que ela possuía algum conhecimento de Deus. Não sabemos como foi adquirido, mas podemos perceber certa espiritualidade no comportamento dela em relação a Deus. Ela o chama por seu nome próprio, Javé, o Senhor.

Lia tem quatro filhos. Chamou o primeiro de Rúben, que significa "veja, um filho!". Com os olhos em Deus, ela diz: "O Senhor viu minha infelicidade e agora meu marido me amará" (Gn 29.32). Uma das necessidades básicas da esposa é ser amada pelo marido, e quando esse anseio não é suprido, a aflição e a ansiedade se alojam no coração dela. Cabe ao marido torná-lo realidade.

O segundo filho de Lia é chamado de Simeão, que significa "aquele que ouve", uma forma de dizer que Deus a ouvira, mesmo o marido não a amando ou amando menos que a Raquel. A esposa precisa ser ouvida pelo marido. Ela quer ter a atenção de quem ela espera ser amada. A mulher precisa expressar sua opinião, compartilhar suas emoções com um ouvido paciente e amável. Lia, porém, não encontrava isso em Jacó. Mais um paralelo com a vida de Raul e Roberta. Raul poderia pelo menos ter dito à esposa que gostaria de ouvi-la, mas talvez ele nem tivesse a paciência necessária. Juntos, poderiam ter encontrado um tempo para conversar.

O nome do terceiro filho, Levi, revela mais uma necessidade não suprida de Lia. Seu significado está relacionado à conexão, ao afeto, por isso ela diz: "Certamente desta vez meu marido terá afeição por mim, pois lhe dei três filhos".

Nesses três nomes, podemos perceber três dos principais clamores de uma esposa: ser vista, ouvida e amada. Ainda que a estratégia de Lia para conquistar o amor do marido não estivesse funcionando, a realidade de Lia é também a realidade de muitas mulheres. A esposa precisa sentir essa conexão emocional com o marido, algo que vai além do sexo mas que contribui para uma vida sexual significativa e realizadora. O anseio de Lia era justo e verdadeiro, mas ela buscava comprar o amor do marido dando-lhe filhos. Tentava achar sua identidade e obter uma fonte de amor trabalhando como mãe e fixando seu coração em Jacó como se ele fosse capaz de oferecer tudo de que uma esposa precisa. Nenhum marido é capaz de oferecer à esposa tudo de que ela precisa como cônjuge e mulher.

Olhando para o que Deus fez com Lia, vemos que, mesmo desprezada e "empurrada" para um homem que não a amava, ou amava menos do que amava sua irmã, Deus não a deixa à deriva, em vez disso a acolhe e lhe permite ter filhos. "Raquel, porém, era estéril" (Gn 29.31). Deus conhece a aflição dos seus. Ao olhar para a desprezada, era como se dissesse: "Você pode ser desprezada por seu marido, mas por mim você é amada". Nada nos separa do amor de Deus. Está nas

Escrituras. Quando o marido falha em suprir a necessidade de amor da esposa, apenas Deus é capaz de preencher a lacuna; quando Deus viu que Lia não era amada, permitiu que ela tivesse filhos. Deus acolhe a não amada e deixa claro que quem tem o controle da vida de Lia era ele. Deus tinha planos para ela a despeito de suas desilusões.

Mas algo mais extraordinário nos leva a um momento especial na vida de Lia. O quarto filho de Lia é chamado de Judá, que significa "louvor" (Gn 29.35). Lia então diz: "Agora louvarei ao SENHOR!". Observe a mudança de pensamento e atitude de Lia. No nascimento dos três primeiros filhos, seu foco estava em Jacó. Era em Jacó que Lia esperava ter todos os seus problemas existenciais resolvidos. Era no amor de Jacó que ela depositava sua alegria, e tentou usar a maternidade como estratégia. Ela dormiu sonhando com um Jacó que amaria, ouviria, perceberia e se ligaria a ela, mas acorda com um Jacó ainda distante. Jacó era seu ídolo, e "ídolos não são apenas estátuas de pedra. São amores, pensamentos, desejos anseios e expectativas que adoramos no lugar do Deus verdadeiro".[5]

Raquel, a irmã de Lia e a esposa mais amada de Jacó, também teve uma experiência idólatra, ao colocar um deus falso no lugar de Deus. Depois que Lia deu à luz, Raquel se sentiu ameaçada e inferior. Enquanto Lia procurava encontrar sua identidade e valor pessoal usando a maternidade como meio de ser amada por Jacó, Raquel queria ser mãe. A beleza física não a satisfazia. Ela diz a Jacó: "Dê-me filhos, ou morrerei" (Gn 30.1). Raquel colocava na maternidade o seu senso de valor e significado. E, embora tenha desejado tanto ter filhos, infelizmente morreu em um trabalho de parto (Gn 35.16-19).

Lia, por sua vez, aprendeu a lição. Não era Jacó que poderia suprir suas necessidades, mas Deus. Mesmo em meio à rejeição de Jacó, Lia podia experimentar o amor de Deus porque ele vira sua aflição. Mas algo ainda mais singular aconteceria. É Judá quem mais tarde seria usado por Deus para levar a família de Jacó ao Egito durante o período de fome que assolou a terra. É Judá quem romperia o ciclo de problemas na família de Jacó. É de Judá que viria o Salvador do mundo.

Deus toma a rejeitada e a faz sentir-se amada por ele. Deus toma pela mão a feia, a de olhos caídos e baços, e lhe concede a experiência mais significativa e bela que ela poderia ter: descobrir que aquilo de que ela mais precisava não vinha de seu marido, mas do próprio Deus. Seu marido poderia falhar com ela, como ocorreu, mas Deus não falharia. A maior e mais sublime experiência não foi ter dado à luz quatro filhos. A experiência mais significativa para Lia foi descobrir que Deus a acolheu, deu-lhe, sim, filhos, mas acima de tudo abriu-lhe a mente a fim de perceber que seu verdadeiro Deus era Javé, e não Jacó. Ao reconhecer que o amor tão desejado não viria do fruto de sua estratégia para conquistar o marido, mas de Deus, Lia viu-se redimida. Ela poderia até viver sem o marido, mas não sem Deus. Por isso, ao nascer Judá, Lia disse: "Agora louvarei o Senhor!".

Quando colocamos toda nossa expectativa no outro, fazemos dele nosso deus. Isso é idolatria. Deus quis destruir a idolatria em Raquel e Lia. Um deus criado nunca nos trará aquilo que mais desejamos para nos sentirmos inteiros. Em contrapartida, quando nos focamos em Deus, ele nos liberta do domínio de expectativas falsas e insatisfatórias. Como no contexto de qualquer ambiente de idolatria, o "deus sempre quer mais". Quando adoramos outro e nele colocamos nossa fonte primária de satisfação, tornamo-nos pessoas famintas por mais e mais, e um vazio se apodera de nós. O que nossa família espera receber não pode ser satisfeito completamente por nós, pois somos imperfeitos. Mas existe a graça perfeita de Deus, e ela alcançou Lia e, mais tarde, Jacó.

O amor de que a família precisa

Não importa o passado, não importa o sofrimento, o que importa é o que Deus constrói em nós. Deus estava trabalhando na vida de Jacó e por meio dele. Enquanto Deus destruía a idolatria de Jacó em relação a Raquel, trazia Lia para o cenário que ele criara para a história da redenção do próprio Jacó e da nação de Israel e do mundo. Deus quis destruir a idolatria baseada na falsa ideia do que seria uma família feliz. Não se constrói uma família feliz a partir da maternidade, mas a partir da graça de Deus. Foi a graça de Deus que agiu por meio de uma mulher rejeitada e mal-amada. Ao redirecionar o objeto de sua adoração para ele, em vez da quantidade de filhos, Deus satisfez a necessidade dela.

Deus quer trabalhar em todos nós e através de nós, e para isso algumas práticas precisam ser adotadas no poder do Espírito Santo. No caso de Raul, sua experiência com o avô e a passividade de seu pai deixaram marcas profundas e danosas, especialmente por ter sido molestado por alguém que deveria amá-lo e protegê-lo. Quanto a Roberta, o estupro deixara marcas quase indeléveis. Ambos foram vítimas. Deus, no entanto, é capaz de curar as vítimas, que por sua vez podem romper o círculo vicioso na história familiar graças ao amor e poder de Deus.

Jacó não teria sofrido tanto se, ao perceber a mágoa de seu irmão, houvesse voltado atrás e confessado seu erro. Raul e Roberta, por sua vez, precisavam, em primeiro lugar, pedir a Deus que lhes sondasse o coração. Raul precisava perdoar o avô para não se tornar permanentemente escravo de seu abusador. O perdão tem a ver mais com o ofendido ser liberto do domínio da mágoa do que com o ofensor. Sem perdão, o relacionamento de Raul e Roberta também é afetado. As dores de ambos precisam ser tratadas e o perdão, liberado de modo que o amor flua no relacionamento do casal e em toda a família.

O evangelho parece realmente loucura. Renunciar à vingança deixando livre o ofensor é algo totalmente estranho para nosso mundo vil e egocêntrico. Entretanto, perdoar é encontrar a liberdade.

Em segundo lugar, eles precisavam crer em sua identidade em Jesus. Raul não era o filho e o neto que sofrera abuso e tivera a esposa estuprada. Ele está em Cristo, e em Cristo ele fora escolhido para ser amado por Deus. Em Cristo ele possui os recursos para lidar com as dores da vida. Da mesma forma, Roberta precisava ver-se como alguém comprada pelo sangue de Jesus e crer que nada seria capaz de separá-la do amor de Cristo. Ela fora adotada como filha, escolhida por ele antes da fundação do mundo (Ef 1.4-5).

Mas como podemos perdoar e nos firmar em nossa identidade em Jesus em vez de na identidade forjada pelas dores da vida? Lembremos a história de Jesus com a mulher samaritana. No Evangelho de João, capítulo 4, Jesus encontrou uma mulher enquanto passava por Samaria, uma rota que ele poderia ter evitado. Mas não o fez. Certamente ele queria encontrar aquela mulher, uma pessoa rejeitada por ser mulher e por ter uma vida reprovável. Jesus passa por cima de todos os preconceitos e, na beira do poço, diz: "Quem bebe desta água logo terá sede outra vez, mas quem bebe da água que eu dou nunca mais terá sede. Ela se torna uma fonte que brota dentro dele e lhe dá a vida eterna" (Jo 4.13-14).

A mulher tinha sede, tinha um vazio na alma e tentava preenchê-lo com relacionamentos e sexo. Como sabemos? Jesus lhe pede que traga seu marido: "'Não tenho marido', respondeu a mulher. Jesus disse: 'É verdade. Você não tem marido, pois teve cinco maridos e não é casada com o homem com quem vive agora. Certamente você disse a verdade'" (Jo 4.17). Jesus traz à tona a carência dela sem, contudo, condená-la. Ele primeiro a acolhe, permitindo-lhe entender por si mesma que sua vida estava no caminho errado. Mas note mais uma vez que ele primeiro a acolhe para só depois criar o ambiente de confrontação e transformação para a vida dela.

Na cena seguinte, a mulher reconhece que Jesus é profeta e está lhe dizendo que Deus precisa ser adorado em espírito e em verdade. A mulher deixa a presença de Jesus impactada pelo que ouvira dele e o anuncia para os homens da cidade, que por sua vez creem nela e vão ao encontro de Jesus (Jo 4.19-30).

O que aconteceu naquele encontro? A mulher descobriu a água viva e bebeu dela. Deixou de ser vista como a mulher adúltera. Descobriu que o amor tão buscado não podia vir dos relacionamentos que vinha mantendo, mas que a satisfação final de sua vida vinha de Deus, o Deus que a desafiara a abandonar os deuses construídos nos últimos seis relacionamentos.

Semelhantemente, as dores que Raul e Roberta enfrentavam, e não os eventos abusivos de que foram vítimas, eram a rota escolhida por Jesus para curá-los das sequelas do passado a fim de que compartilhassem uma vida saudável em família. Jesus desejava que ambos o adorassem de modo que deles jorrassem rios de água viva. À medida que ambos fizessem de Deus sua principal fonte de satisfação, teriam os recursos para lidar com a dor do abuso e da decepção. Fora de Jesus, nenhum deles tinha poder para perdoar nem dar o amor de que a família precisava.

Jesus foi traído pelos seus, por quem ele mais amava, por isso é capaz de entender-nos e dar-nos aquilo de que precisamos para amar o cônjuge e refletir esse amor para nossos filhos. Talvez tenhamos razões humanas para nutrir ódio no coração, mas também temos razões divinas para perdoar uns aos outros e, assim, ver nossa identidade em Jesus. Os filhos clamam por pais que, mesmo imperfeitos, encontram na graça de Deus os recursos necessários para amar-se. Os filhos clamam por referenciais em sua vida. Quando os filhos virem que os pais buscam em Deus os recursos para não serem destruídos, eles trilharão esse mesmo caminho, em vez de se deixarem seduzir por caminhos danosos. Temos a oportunidade de romper o círculo vicioso em nossa família de origem graças aos recursos espirituais que, por estarem em Cristo, são oferecidos por Deus.

Quando entendemos o que fazer com a mágoa e a frustração, como Raul e Roberta entenderam, damos o primeiro passo para o processo de cura disponibilizado por Deus, em Cristo. Aprendemos que há um caminho melhor e que Deus nos capacita para os próximos passos. Também podemos contar com a ajuda de outros irmãos da igreja. Com a devida orientação pastoral, podemos, por exemplo, integrar-nos em um grupo de estudo em cujas reuniões lutas e vitórias possam ser compartilhadas em um ambiente de confidencialidade.

Perdoar é um processo. Não ocorre instantaneamente. Recaídas de mágoa e raiva ocorrem, mas com a liderança do Espírito em nós podemos vencer as dificuldades. Permeados pela graça amorosa de Deus, a família descobrirá que em suas imperfeições a graça impera e, assim, a família cresce. Tudo começa quando cada membro da família aceita o fato de que precisa da água viva para poder concedê-la a outros.

6
A graça transforma famílias destruídas em famílias amorosas: A família de Judá

....

Deus intervém para quebrar ciclos perniciosos na família imperfeita.

Pois a graça de Deus foi revelada e a todos traz salvação.

Tito 2.11

O pastor Davi notou que Raul não estava comparecendo aos cultos. Sua esposa, Roberta, vinha de vez em quando, mas evitava conversar com o pastor. A vida da família não ia bem. Tudo parecia uma incógnita para o pastor. Embora ele confiasse na ação de Deus, não sabia como Deus transformaria a história desastrosa daquela família em uma história de amor, perdão e paz como fruto da graça.

Mas um dia Raul bate na porta do pastor. Desorientado, ele disse que as coisas se haviam agravado. Em meio a uma discussão entre ele e Roberta, ele a havia empurrado e ela chegara a cair. Não se machucou, mas um dos filhos, Ruy, havia presenciado a cena e quase agrediu o pai. Ele então saiu de casa desapontado e estarrecido com o que vira. A relação entre pai e filho havia sido tumultuada nos últimos dezoito anos, e agora Raul se sentia um fracasso como pessoa, pai e marido.

Desde a última conversa que tivera com o pastor, na presença de Roberta, Raul tentara abandonar o hábito de acessar *sites* eróticos e encontrar um grupo na igreja do qual pudesse participar com regularidade. Também pedira perdão à esposa, mas não conseguia ler a Bíblia e orar e sentia-se hipócrita nos cultos. Aparentemente, o vazio e o sentimento de fracasso o distanciavam mais e mais de Deus enquanto o empurravam para a pornografia.

O pastor Davi via que, apesar dos episódios narrados, a vida de Raul estava sendo tocada por Deus. Seu momento de vida não estava fácil. Uma filha desaparecida, uma esposa magoada e agredida fisicamente e que poderia acusá-lo de violência doméstica, filhos desapontados com ele, tudo isso somado à dor do passado. Apesar desse quadro, o pastor reafirmou-lhe que não há família que não possa ser reconstruída ou relacionamento matrimonial que não possa ser curado. Há um tempo de luto, de deixar a dor tomar conta da alma. Um tempo de lamento, confissão, arrependimento e reconstrução. Mas as Escrituras são claras: em Deus chegará o tempo de levantar-se para uma nova vida.

> Então o Senhor me deu esta mensagem: "Ó Israel, acaso não posso fazer com vocês o mesmo que o oleiro fez com o barro? Como o barro está nas mãos do oleiro, vocês estão em minhas mãos".
>
> Jeremias 18.6

> Ele cura os de coração quebrantado
>   e enfaixa suas feridas.
>
> Salmos 147.3

> O Alto e Sublime, que vive na eternidade, o Santo diz:
>   "Habito nos lugares altos e santos,

e também com os de espírito oprimido e humilde.
Dou novo ânimo aos abatidos
e coragem aos de coração arrependido.

Isaías 57.15

Portanto, confessem seus pecados uns aos outros e orem pelos outros para serem curados. A oração de um justo tem grande poder e produz grandes resultados.

Tiago 5.16

O pecado não pode nos paralisar. Precisamos confessá-lo e arrepender-nos para uma nova direção de vida. Confissão e arrependimento caminham juntos. A verdadeira confissão e o arrependimento do pecado caracterizam aquele de espírito abatido que Deus deseja, e vai, levantar. Por causa da graça de Deus sobre nós, podemos ter a certeza de dias melhores. Ele nos trata como barro nas mãos do Oleiro que ele é. Molda-nos por meio da dor e das consequências dos erros cometidos. Erros e consequências são como feridas abertas que Deus deseja curar, se o buscamos com um coração verdadeiramente arrependido. Não é o que lemos nos versículos acima?

Raul estava em processo de quebrantamento. No último encontro dele com o pastor Davi, eles haviam falado sobre os erros de Jacó e Lia que precisavam ser curados e tratados. Viram como Deus trabalhara a vida deles depois de um momento de confissão e compreensão, que lhes abriu a porta para grandes mudanças espirituais e emocionais.

O pastor então resolveu contar a história de Judá (Gn 38), a qual ilustra como Deus toma um homem extenuado e prova ainda mais suas forças, para só então reconstruí-lo e fazer dele um vaso de honra. Ao estudar a história de Judá, vemos que a graça de Deus é capaz de transformar famílias desastrosas em famílias amorosas. Judá, um homem centrado em si mesmo, fora capaz de vender seu irmão José. Mais tarde, transformado por Deus, mostra-se um homem capaz de dar a própria vida por outro irmão, Benjamim. Famílias são imperfeitas, sim, mas a graça é perfeita. Deus começa com uma pessoa que muitas vezes se sente oprimida e humilhada. Oprimida e humilhada pelos próprios pecados e pelos próprios erros. Mas, como o texto do profeta Isaías nos diz, Deus nos dá novo ânimo. Assim foi com a família de Judá, e certamente essa é a vontade de Deus para nós também.

A história de Judá

Quando olhamos a história de Judá, vemos não uma maldição, mas uma herança familiar, uma repetição de erros. Gênesis 37 nos diz que Judá mentiu, vendeu um irmão como mercadoria e enganou seu pai, Jacó, com a falsa história da morte de José.

É interessante notar que a história de Judá está descrita entre os capítulos 37 e 39, justamente para contrastar a vida dele com a de José. No fim do capítulo 37, José está a caminho do Egito, onde seria vendido como escravo. No início do capítulo 38, encontramos Judá no caminho oposto. O caminho de José é um caminho de vitória em meio às dores. O caminho de Judá, um caminho de derrotas e dores, frutos de sua desobediência. Mas esse caminho será transformado pela graça de Deus. O capítulo 38 também nos aponta para os capítulos 42—48, em que Judá se revela uma nova pessoa, o líder da família que ele quase destruíra.

Judá certamente estava coberto de culpa pelo que fizera contra seu irmão José. A culpa não tratada nos leva para longe de

Deus, para caminhos escusos e vulneráveis à má influência de outros. Gera comportamentos de negação e compensação que só nos afastam do amor de Deus. Negamos a culpa porque tememos a disciplina divina. É mais fácil negar, fingir que os erros não existem, pois assim não precisaremos prestar contas a Deus.

Por isso, Raul precisava lidar com a mágoa contra seu irmão, seu avô e seu pai. Precisava lidar também com o tipo de tratamento que dispensava à esposa, Roberta. Seu sentimento de culpa e autossuficiência o tornava violento e irascível, pois a ira é resultado de nosso desejo de controlar o incontrolável, levando-nos muitas vezes a agir como se fôssemos Deus. E porque não temos como agir como Deus, agimos erroneamente.

Judá deixara sua casa para viver em um lugar cuja cultura contrariava os padrões divinos. Imagine a luta dele. Ele fugira porque participara do crime contra seu irmão e agora precisava manter uma vida falsa na tentativa de consolar seu pai, cheio de dor pela morte do filho preferido. Além disso, não podia trair seus irmãos. Na alma de Judá muitas coisas se misturavam. Havia mágoa contra os irmãos por ter sido levado a participar no crime contra José, muito embora não tenha sido coagido a isso. Agora ele também era responsável. Seu coração estava triste, afinal vendera um irmão e violentara seu pai com uma falsa notícia. Sentia-se impotente para lidar com essa profusão de sentimentos. E, para enfrentar a dor na alma e solucionar o problema, ele parte para o isolamento e a fuga. Será que Raul enxergava uma semelhança com sua história? Ele estava fugindo, e essa fuga o estava conduzindo a um lugar perigoso. Como Judá, envergonhado, afastou-se daqueles que poderiam ajudá-lo.

Mas o desvio de Judá estava apenas começando. Aparentemente, Judá resumia nele muitos dos comportamentos de seus antepassados. A precipitação de Abraão e o impulso sexual não controlado do bisavô, e também de Jacó, se repetem em Judá. A tendência de mentir presente em Abraão, repetida na vida de Isaque e Jacó, ressoa na vida de Judá. Quem poderia quebrar esse ciclo? Deus sempre tem um jeito. Mas Judá ainda não havia entendido os caminhos de Deus.

A fuga de Judá para a região de Adulão (Gn 38.1) também demonstra um homem que agora resolve assumir o controle de sua vida. Ele mostra autossuficiência, exatamente como muitas vezes fazemos. Em nossa autossuficiência, escolhemos confiar em nós mesmos em vez de em Deus. E o resultado é funesto. Era como se Judá estivesse dizendo: "Daqui em diante controlarei minha vida, irei para onde quiser e farei o que é melhor para mim, ainda que desagrade a Deus". É para onde a culpa e o desvio do caminho de Deus nos levam. Primeiro Judá se casa com uma mulher cujo nome nem sequer aparece na história, ainda que o problema não fosse esse. Ela era cananita. O pecado não tratado leva-o a cometer outro pecado ao deixar de lado os ensinamentos de seus antepassados. Eles não deviam se casar com mulheres cananitas por causa da influência idólatra que certamente trariam para a família.

Há nessa história um grande alerta para todos nós. A autossuficiência e a consequente independência de Deus geram novos problemas, uma vez que buscamos soluções em outras fontes que contrariam as orientações divinas. Com certeza, Judá tentava afogar seu sentimento de culpa e solidão ao procurar uma mulher em uma região idólatra, como se ela fosse o remédio capaz de curar as dores de sua alma. Judá está repetindo o erro do pai. Problemas familiares e pessoais não tratados tendem a se repetir nas gerações subsequentes. Por isso o ciclo precisa ser rompido.

As consequências do desvio de Judá são similares às que ocorrem em nossa vida

O isolamento de Judá e sua autossuficiência afetarão não só sua vida familiar mas também sua vida espiritual. Primeiro, ele escolhe uma mulher cuja cultura local é idólatra, demonstrando uma mente voltada para outro deus, o deus do sexo. O autor de Gênesis descreve a ação de Judá com sua esposa de uma forma fria e voltada apenas para o sexo. Em vez de usar a expressão mais comum para um ato amoroso sexual, como "ele a conheceu...", a descrição da relação de Judá com a esposa é meramente sexual: "E viu Judá ali a filha de um varão cananeu de nome Sua; e tomou-a e entrou a ela" (Gn 4.17, RC). Judá viu, tomou e entrou. Era como se Judá estivesse apenas interessado em satisfazer seus apetites sexuais e fundar a própria família, uma vez que, por causa do pecado e da culpa, havia abandonado sua família de origem.

Isso prenuncia um desastre familiar. Judá e a esposa tiveram três filhos, dois dos quais revelam um caráter reprovável a ponto de serem mortos por iniciativa do próprio Deus. Não sabemos exatamente por que Deus agiu dessa forma, mas podemos deduzir que a cultura daquela região era depravada e idólatra, o que pode ter contribuído para o estilo de vida imoral de Er, o primeiro filho de Judá, e de Onã, o segundo filho, que se negou a gerar um filho com a cunhada, como era costume na época. O filho dessa relação pertenceria ao falecido, o que daria continuidade a sua linhagem, mesmo após sua morte, além de proteger as propriedades da família. Ao negar-se, Onã revelou um coração marcado pelo egoísmo. Na terra para onde desviou-se dos caminhos de Deus, Judá só estava amargando reveses, e mesmo assim mantinha um coração duro. Não se tratava de uma tabela de punição para cada pecado de Judá. Deus deixara que a própria vida o disciplinasse, como muitas vezes faz conosco quando nos desviamos dele.

Embora às vezes Deus aja de formas estranhas e incompreensíveis para nós, suas ações visam a pavimentar um caminho muito especial, usando os erros de um homem, no caso de Judá, para salvar seu povo. Não quer dizer que Deus aprove o pecado, e a prova está na punição de seus dois filhos mais velhos. O fato é que nenhum erro que possamos cometer é capaz de impedir o cumprimento dos planos de Deus. Deus é soberano, santo e amoroso. Podemos sempre confiar nele, compreendamos ou não suas ações. Quando nos voltamos para Deus, ele escreve uma nova história em nossa vida.

Judá repetia mais uma vez os erros dos antepassados. Deus, por sua vez, não estava silencioso nem alheio.

Judá e seu apetite sexual

O caráter de Judá estava deformado. Movido pela culpa, abandona a família, junta-se a um grupo de pessoas idólatras, casa-se com a pessoa errada, foca-se em si mesmo e assume o controle da própria vida.

Então Judá fica viúvo. Ao contrário de Jacó, que vivenciara um prolongado luto por causa da falsa morte de José (Gn 37.34), Judá vence rapidamente o tempo de luto, como se dissesse "bola pra frente". Gênesis 38.12 diz que Judá foi ver a tosa do rebanho, uma prática realizada antes das chuvas a fim de evitar que a umidade comprometesse a qualidade da lã. Mas no contexto histórico tosquiar as ovelhas também constituía uma festa anual, envolvendo muita bebida, rituais idólatras, fornicação e outros tipos de imoralidade sexual.

Acreditava-se que tais práticas fariam os deuses da fertilidade multiplicar rebanhos e colheitas.[1]

É nesse ambiente que Judá se encontrava, e se deixara permear pela cultura idólatra e imoral do mundo cananita. E é nesse momento que Tamar, sua nora, formula uma estratégia para conseguir que o sogro cumprisse o que havia prometido (Gn 38.13-14). É importante lembrar que o fato de um acontecimento estar registrado nas Escrituras não significa que seja aprovado por Deus. Judá mostra-se mais uma vez volúvel e egocêntrico. Ao ver a mulher, e sem saber que era sua nora, diz: "Quero me deitar com você" (Gn 38.16). Mais uma vez o que se vê é o vazio de um coração tentando buscar no sexo significado para a vida, sentir-se amado e resgatado de um erro que gera culpa, e libertar-se interiormente para ter uma vida que satisfaz. Não se tratava de cumprir o costume de perpetuação do nome da família de seu filho Er. Judá pensava apenas em si mesmo. E a expressão que ele usa ao dirigir-se à suposta prostituta apenas mostra seu interesse em satisfazer seu apetite sexual. A identidade da mulher não tinha nenhuma importância para ele.

A culpa, a mágoa e a distância de Deus nos levam a práticas danosas, que afetam a nós e a outras pessoas. É o que acontece hoje com quem visita *sites* pornográficos ou procura literatura erótica. No fundo a pessoa guarda um clamor. Claro que o desejo físico existe, mas vai além disso. Todos nós desejamos ser amados e resgatados do domínio de um ego que nos leva a buscar em coisas passageiras sentido para a vida e cura da dor.

Com o peso da culpa, da saudade, do luto, da distância de Deus e da família de origem, Judá busca naquele ato um momento de paz. O problema é que com isso ele está se violentando, violentando o próprio corpo e sua vida espiritual. Ainda mais, passado o prazer, o vazio volta a se instalar, pois o prazer passageiro não tem o poder de curar as dores da alma.

A relação sexual fora do casamento violenta a alma porque, primeiro, ela foi planejada para ser a dois, a dois que se pertencem. "Por isso o homem deixa pai e mãe e se une à sua mulher, e os dois se tornam um só" (Gn 2.24). A tradução Almeida Revista e Corrigida é ainda mais contundente: "Portanto, deixará o varão o seu pai e a sua mãe e apegar-se-á à sua mulher, e serão ambos uma carne". Tornar-se uma só carne vai além do sexo em si. Homem e mulher deixam sua família de origem e se entregam mutuamente. O sentido do verbo traduzido como "unir" ou "apegar-se" significa, na verdade, grudar, de modo que a relação sexual foi planejada por Deus para que homem e mulher se grudassem um ao outro. Ora, o prazer oferecido em um *site* pornográfico beneficia apenas um, contrastando com o plano de Deus que implica dois, marido e mulher, sendo satisfeitos e usufruindo da alegria proposta pela vida sexual no casamento.

Uma segunda razão de a relação sexual fora do casamento violentar a alma é que o deixar e o grudar-se pressupõem entrega. Não uma entrega parcial, não um grudar-se parcial, mas um grudar-se integral. Foi assim que Deus nos construiu, e quando usamos erroneamente o corpo construído por Deus, vêm o constrangimento, a culpa, o desconforto. Quando Raul e Roberta fizeram os votos de casamento, prometeram entregar-se completamente um ao outro, não parcialmente. Não apenas a área sexual. O pressuposto era a entrega completa, que envolve o interior e o exterior. Marido e mulher passam a compartilhar não apenas o corpo, mas o total de seu ser, com as dificuldades e os predicados positivos de um e de outro. Por isso a relação sexual é singular. Ela celebra essa mútua entrega de vida, "em dias bons e em dias ruins, na saúde e na doença, na pobreza e na riqueza".

O contexto da relação sexual planejada por Deus implica uma experiência em que o casal se desnuda perante o outro sem medo de ser rejeitado e certo de que o amor é mútuo, não baseado na *performance* do outro mas, sim, no compromisso de dar um ao outro o melhor de si em todos os aspectos, incondicionalmente. Isso só acontece quando os dois, marido e esposa, pensam do mesmo modo. Quando Judá diz: "Quero me deitar com você", ele não tinha em mente dar o melhor de si para Tamar, pois ela nem era sua esposa. Ele tinha em mente apenas o prazer, o que contraria totalmente o conceito de Deus de uma relação sexual a dois, entre um homem e uma mulher comprometidos em acolher o outro apesar da falha na acolhida.

A terceira razão de o sexo fora do casamento violentar a alma é que ele foi feito para o prazer mútuo. Quando se está em um *site* pornográfico ou, como Judá, tendo relações ilícitas, o prazer é solitário. O outro se torna mero instrumento. Ilustra muito bem o que Judá estava fazendo. Ele queria prazer e pagou por isso. O prazer da parceira não importava. O oposto de amar a Deus e ao próximo como a si mesmo.

E a quarta razão, e certamente não exaustiva, a relação sexual é uma espécie de celebração de algo muito especial. Deus trata o casamento como aliança, como mostra Malaquias 2.14-15:

> Porque o Senhor foi testemunha dos votos que você e sua esposa fizeram quando jovens. Mas você foi infiel, embora ela tenha

continuado a ser sua companheira, a esposa à qual você fez seus votos de casamento.

Acaso o Senhor não o fez um só com sua esposa? Em corpo e em espírito vocês pertencem a ele. E o que ele quer? Dessa união, quer filhos dedicados a ele. Portanto, guardem seu coração; permaneçam fiéis à esposa de sua mocidade.

Nesse contexto, aliança significa parceria, junção, compromisso, um acordo de significante conexão. Com frequência a palavra aliança é usada nas Escrituras no sentido de uma aliança de Deus com o homem, como por exemplo em Gênesis 6.18 e 9.1, a aliança de Deus com Noé. Mas ela significa mais que um contrato, como algumas vezes é traduzida. A palavra carrega um sentido de reciprocidade das partes e implica fidelidade, muitas vezes a qualquer custo. Ela não é apenas um trato do ponto de vista legal, como ocorre algumas vezes no Antigo Testamento, mas um compromisso fundamentado em uma palavra firmada, em amor e não apenas em sentimentos.

Esse é o sentido da expressão "a esposa à qual você fez seus votos de casamento", no mencionado texto de Malaquias. Os homens de Israel estavam violando a aliança de amor feita com a mulher de sua mocidade. Deus fez uma aliança conosco, e ele a cumprirá. O casamento como aliança ilustra esse aspecto do relacionamento de Deus conosco. Isso está bem claro em 2Timóteo 2.13, quando o apóstolo Paulo nos diz: "Se formos infiéis, ele permanecerá fiel, pois não pode negar a si mesmo".

O casamento como aliança engloba a disposição de amar, ser fiel e doar-se mesmo se a recíproca não ocorrer. O casal precisa pensar e agir desse modo, caso contrário o casamento se torna abusivo e uma exploração por parte do que recebe, pois este consome o outro.

Às vezes, como no caso de Raul e Roberta, o casamento começa alicerçado no amor, mas quando o compromisso passa a ser controlado por sentimentos e não pela aliança de amor, eventos ao longo do tempo causam o arrefecimento desse amor. Os sentimentos podem ser orquestrados por diversas causas, e justamente por isso são enganosos. Não se trata de romantismo, mas do que as emoções nos causam. Quando o casamento é regido por um compromisso de amor, cada parceiro olha o outro com os olhos da graça. Embora a graça veja falhas, não rejeita quem falha, libertando ambos de um casamento baseado em *performance*. E isso é válido para a área sexual também. O relacionamento de amor é maior e mais importante que a vida sexual.

Casamento movido por aliança de amor é um casamento libertador porque ilustra como Deus nos trata e ama. Esse tipo de relacionamento protege o casal da traição e do adultério. Se, em contrapartida, os dois não pensarem assim, o que costuma dar incondicionalmente se sentirá explorado e, no longo prazo, estará criado o cenário para um adultério.

Aliança matrimonial é diferente de contrato matrimonial. Na aliança, cada parte assume sua responsabilidade no pacto, independentemente de o outro cumprir sua parte. É um ato que liga vida e corpo. Na aliança entre o casal e Deus, a promessa de fidelidade, parceria, cuidado, bondade e altruísmo é praticada independentemente um do outro. A aliança é violada quando uma das partes é infiel ou acessa pornografia, ainda que esporadicamente, pois em ambos os casos alguém ou algo se interpõe entre o casal. O ser humano distorceu o conceito de sexo presente nas Escrituras. Provérbios 5.15-20, por exemplo, mostra romantismo e sensualidade sadios:

> Beba a água de sua própria cisterna,
> > compartilhe seu amor somente com sua esposa.
> Por que derramar pelas ruas a água de suas fontes,
> > ao ter sexo com qualquer mulher.
> Reserve essa água apenas para vocês;
> > não a reparta com estranhos.
>
> Seja abençoada a sua fonte!
> > Alegre-se com a mulher de sua juventude!
> Ela é gazela amorosa, corça graciosa;
> > que os seios de sua esposa o satisfaçam sempre
> > e você seja cativado por seu amor todo o tempo.
> Por que, meu filho, se deixar cativar pela mulher imoral,
> > ou acariciar os seios da promíscua?

A Bíblia revela que Deus criou o sexo de uma forma pura, para ser vivenciado entre marido e mulher, entre aqueles que fizeram uma aliança matrimonial. Estes podem realmente experimentá-lo em profundidade e beleza como fruto de uma entrega total de vida, não parcial nem egoísta. O ser humano e a cultura corromperam a beleza da sexualidade criada por Deus, tornando a relação sexual uma espécie de mercadoria.

No caso de Raul e Roberta, o vício de Raul em pornografia fazia a esposa sentir-se rejeitada, ressentida, traída, inadequada, desprezada e insuficiente sexualmente. Dado ainda o histórico de estupro, o comportamento do marido fez surgir na esposa uma falsa culpa, como se ela fosse responsável pela conduta dele. Configurava-se quase como um estupro emocional, um estupro da alma. O triste é que algumas estatísticas mostram que o acesso à pornografia se dá igualmente, em termos percentuais, entre homens cristãos e os que se dizem não cristãos.[2]

Jesus, por sua vez, não só validou a lei de Moisés como também ampliou o conceito de adultério. Adulterar, nas palavras de Jesus, vai muito além do ato em si. Começa no coração (Mt 5.27-28). Adultério significa modificar, tornar nulo, falsificar, trair por relações sexuais fora do casamento. Trazendo para o conceito de aliança, adulterar é violar o conceito de aliança matrimonial estabelecido por Deus. Quando física ou mentalmente um dos cônjuges mantém relações fora do casamento, ele ou ela está adulterando, pois na aliança prometeram perante Deus fidelidade incondicional (Ml 2.14).

Mas continuemos com a história de Judá. Ele fora enganado por Tamar. Aquele que uma vez enganou o pai, agora era enganado pela nora. Se podemos chamar assim, Judá estava bebendo do próprio veneno. E de uma forma mais horrenda, uma vez que, ao ter relações sexuais com a nora, ele cometia incesto. Embora a ação de Tamar também seja condenável, lembremos que se tratava de uma mulher que não conhecia a Deus e buscava sobreviver e ver a palavra do sogro cumprida.

Perspicaz, Tamar concebeu uma estratégia. Como garantia do pagamento pelos serviços sexuais, Judá lhe deixa seu cajado e um cordão com o anel usado na época para assinar documentos. Mais tarde, ao enviar o pagamento prometido, o portador não consegue encontrá-la. Veja a reação de Judá: "'Que ela fique com as minhas coisas', disse Judá. 'Mandei o cabrito como tínhamos combinado, mas você não a encontrou. Se voltássemos para procurá-la, o povo da vila zombaria de nós'" (Gn 38.23). Uma reação típica de alguém que se preocupa apenas com si próprio, afinal não ficaria bem uma pessoa como ele ter um caso com uma prostituta. Ficar "limpo" era mais importante que pagar pelo serviço.

Todavia, algo ainda mais triste acontece. Judá descobre que

a nora está grávida: "Uns três meses depois, disseram a Judá: 'Sua nora, Tamar, se comportou como prostituta e, por isso, está grávida'. Judá ordenou: 'Tragam-na para fora e queimem-na!'" (Gn 38.24). Quando a estavam tirando de casa para matá-la, ela enviou a seguinte mensagem a seu sogro: "'Estou grávida do homem que é dono destes objetos. Olhe com atenção. De quem são este selo, este cordão e este cajado?'. Judá os reconheceu de imediato e disse: 'Ela é mais justa que eu, pois não tomei as providências para que ela se casasse com meu filho Selá'. E Judá nunca mais teve relações com Tamar" (Gn 38.25-26).

Quando a graça causa transformação

Judá mostrara-se mais uma vez duro, não consigo mesmo, mas com a outra pessoa. Ele não considerou a manipulação com sua nora, que nesse momento ainda não se revelara. Ele mentiu para ela, como mentiam seu bisavô Abraão, seu avô Isaque, e seu pai, Jacó. A falta de controle na vida sexual agora cobrava seu preço. Incapaz de enxergar os próprios erros, Judá se torna duro e vingativo com outros. Achando-se justo, acusou a nora de uma ação pecaminosa, esquecendo-se de que ele mesmo havia feito do sexo algo como um deus particular. Ao deitar-se com a prostituta (Tamar travestida de prostituta), ele deixava claro não poder viver sem sexo, pois achava-se solitário, viúvo e merecedor de um pouco de prazer. Mas há uma agravante. Ao contrário de Tamar, Judá conhecia o Deus de seus pais, e mesmo assim envolveu-se em uma prática idólatra. Enquanto ele se permitia o sexo fora do casamento, sua nora precisava manter-se casta. Uma estrutura mental aparentemente típica do homem, que talvez mais que a mulher procura no sexo sua fonte de consolo para lidar com as dores da vida.

Esse evento na vida de Judá com sua nora, contudo, marca o início da mudança radical na vida dele. Quando Judá manda buscar Tamar para puni-la, ele enfrenta talvez um dos momentos mais delicados e ao mesmo tempo curador de sua vida. Com os objetos que ela retivera de Judá, Tamar prova a paternidade da criança (Gn 38.25). O acusador se torna agora o acusado. Ainda que o ato de Tamar não tenha aprovação de Deus, em sua soberania ele muitas vezes usa o inesperado ou o pecado praticado pelo outro para nos confrontar, como confrontou Judá.

Diante da circunstância, Judá não tem como não reconhecer o próprio erro e, em vez de acentuar ou forçar o castigo da nora, diz: "Ela é mais justa do que eu, pois não tomei as providências para que ela se casasse com meu filho Selá". A frase "ela é mais justa do que eu" poderia ser traduzida do hebraico como "ela fez a coisa certa e eu fiz a coisa errada".[3] Judá admite seu erro, seu pecado, sua falta de sensibilidade, sua manipulação em relação à nora, e em nenhum momento fugiu da realidade na tentativa de buscar outras evidências.

A mudança interior de Judá fica nítida. Sem culpar Tamar, assume uma nova postura. O mesmo homem que se deixara levar pela sensualidade desenfreada agora abstém-se sexualmente. "Mesmo sem uma oração explícita de arrependimento, a atitude de Judá mostra seu arrependimento, e foi redimido por Deus. Ele se tornou um novo homem, cuja vida deixa de ser controlada pelos desejos carnais e egocêntricos. Por decisão própria, ele não tem mais relações sexuais com Tamar."[4]

O arrependimento sincero é crucial para romper o ciclo pecaminoso de uma pessoa. Sem ele não existe cura completa. Confissão de pecados sem arrependimento não produz o fruto desejado por Deus, pois no interior de quem cometeu pecado o orgulho ainda ocupa certo lugar. Existe um caminho a percorrer, e Jesus se propõe acompanhar aquele que precisa ser capacitado a perdoar e a pedir perdão. A transparência na vida da família é importante, mesmo que em um primeiro momento possa causar dor. Era o caso da família de Raul. A filha, Ruanita, precisava conhecer as circunstâncias de sua concepção e nascimento. A família seria fortalecida na fé ao ver um pai arrependido e buscando na graça de Deus reconstruir seu interior, que fora esmagado por outros mas também por escolha própria. Será uma lição de encorajamento para atravessarem as dores da vida. Por isso, Deus precisa ouvir o coração arrependido confessar os pecados.

A hesitação e o medo são naturais, mas é preciso dar esse passo para que a cura se instale. Quanto mais a conversa ou ação é postergada, mais o sofrimento se prolonga e a cura se adia. Jesus disse que fôssemos a ele sempre que nos sentíssemos cansados e oprimidos (Mt 11.28). Ele nos capacitará para dar todos os passos necessários. Deus nos ama e quer restaurar nossa vida. Nada pode nos separar de seu amor. Ele nos dará as palavras certas para reconectar-nos emocionalmente com nossa família.

A nova vida de Judá

Vale a pena lembrar o que aconteceu com Judá após esse momento de arrependimento. Tamar teve gêmeos, o primogênito foi chamado de Zerá e o segundo recebeu o nome de Perez (Gn 37.27-30). E mais uma vez a graça de Deus vem perdoar, curar, reconstruir e desenhar um futuro não só para Judá mas também para nós, quando nos encontrarmos em situação semelhante.

Na narrativa de Gênesis, no capítulo 39, o autor volta o foco para José, que está no Egito, primeiro como escravo na casa de um oficial do faraó e anos mais tarde como o segundo homem mais poderoso do país. Quando os filhos de Jacó se dirigem ao Egito em busca de alimento, dada a fome na terra, eles não reconhecem José, mas este os reconhece. José deseja saber se o pai e o irmão caçula, Benjamim, ainda vivem, e os irmãos não entendem o motivo de tantas perguntas. Em uma ação também manipuladora, José retém um dos irmãos, Simeão, e exige que os demais tragam Benjamim na próxima vez que vierem ao Egito, sob pena de não mais verem o irmão retido.

Jacó resiste em permitir que Benjamim os acompanhe, pois certamente não queria correr o risco de ter o filho mais novo "morto" como José. É nesse momento que vemos a grande e crucial mudança na vida de Judá. Aquele que duas décadas antes vendera o irmão aos egípcios como mercadoria, agora se coloca como alguém disposto a morrer por um irmão (Gn 43.8-10). Mais tarde, no Egito, quando José tenta segurar Benjamim, mais uma vez Judá se propõe ocupar o lugar do irmão, que estaria fadado a ser escravo (Gn 44.18-34). Essa entrega de Judá para sofrer no lugar do irmão demonstra algo ainda mais significativo. O homem que pensava apenas em si, agora pensa nos outros, pensa na família, põe sua vida em jogo por amor ao pai e aos irmãos.

Só depois de uma conversa com Judá, José se revela aos irmãos. A partir daí tem início a reestruturação da família. José perdoa os irmãos. O mal contra ele fora transformado por Deus em bênção (Gn 45.1-8). Deus trouxera José para o Egito a fim de torná-lo bênção para o mundo. A família de Jacó é salva da fome e Deus é o responsável por sua salvação, e para isso ele usa José e Judá.

Mas a história de Judá não termina aí. O primeiro capítulo do Evangelho de Mateus traz a genealogia de Jesus e nela estão Abraão, Isaque, Jacó, *Judá, Perez* — seu filho com Tamar —, Davi, Salomão, Maria, Jesus. Apesar do pecado, a graça entrou na vida de Judá, Perez e Tamar. Jesus, nosso Salvador, vem da linhagem do corrupto, traficante, adúltero, manipulador, centrado em si mesmo, mentiroso etc., Judá. Não quer dizer que Deus seja leniente com o pecado, mas por causa de seu amor, sua misericórdia e sua graça Deus toma os menos qualificados, transforma-os e usa-os em seu plano redentor do mundo.

Quando a graça de Deus nos atinge e nos abrimos para ela, nossa vida muda. Judá foi tornado, por Deus, fonte de bênção para o mundo, pois de sua linhagem veio Jesus, nosso Salvador. Por isso precisamos nos abrir para sua graça. Nossa vida pode ter um reinício, rompendo-se finalmente o ciclo de pecado. Não significa que seremos perfeitos, mas no meio das imperfeições descobriremos que a graça de Deus é capaz de nos sustentar ao enfrentarmos os problemas da vida. Quando o ciclo nocivo se rompe, o papel do ser humano nas mãos de Deus é cumprido. Os filhos deixam de ver os erros dos pais e assimilá-los e, em vez disso, ganham os recursos necessários para não cometerem os mesmos erros. Assim, sua vida é restaurada.

A graça de Deus atua para restaurar todo aquele que anseia ser restaurado

O primeiro passo para a restauração é tomar a decisão de confessar o que realmente há em nosso coração, a amargura contra pais, irmãos ou outros membros da família. Vimos a transformação de Judá, e ela também pode ocorrer em nossa família, como na família de Raul, cuja esposa sofreu abuso sexual, uma das experiências mais doloridas que um ser humano pode sofrer. Mesmo sabendo que perdoar é um processo, é preciso tomar a decisão de confessar o ressentimento contra o ofensor a fim de que as dores sejam curadas. Isso leva tempo. Perdoar não é fácil nem se trata de uma ação leve. O abuso traz consequências físicas, emocionais e espirituais. O processo de restauração é em geral longo, mas o primeiro passo, o perdão, precisa ser dado no poder do Espírito, que nos capacita diariamente.

No caso de Raul, como vimos, outra prática precisava ser confessada e exigia arrependimento: a visitação a *sites* pornográficos. Arrependimento implica mudança de vida, abandono de práticas antigas a fim de vivenciar novas. Um tempo a sós com Deus, em que lhe expressemos o que nos motivou ao pecado, é um bom início. Deixe Deus sondar seu coração e confie no perdão dele.

Se desejamos que Deus nos reconstrua a vida após o adultério, precisamos ter em mente alguns pontos importantes mencionados por Jesus. Precisamos tomar atitudes drásticas com relação ao que nos faz ter pensamentos impuros em relação ao sexo oposto. Jesus disse: "Se o olho direito o leva a pecar, arranque-o e jogue-o fora. É melhor perder uma parte do corpo que ser todo ele lançado no inferno. E, se a mão direita o leva a pecar, corte-a e jogue-a fora. É melhor perder uma parte do corpo que ser todo ele lançado no inferno" (Mt 5.29-30).

Certamente Jesus não se refere a automutilação. Não faria sentido, até porque, se alguém arrancasse um olho ou cortasse uma mão, poderia pecar com o outro membro. Mas para aquela audiência, no contexto cultural da época, havia três coisas que consideravam muito importantes: o olho direito, a mão direita e a perna direita.⁵ Então, o que Jesus está dizendo, de fato, é que ser puro de coração é mais importante do que ter membros do corpo capazes de levá-lo a pecar. Ir para a cama com uma mulher ou apenas olhá-la com cobiça constituem o mesmo pecado.

É importante entender, contudo, que ser despertado sexualmente não é pecado, pois Deus nos fez homens e mulheres sexuais. Mas nos momentos de tentação você e eu somos despertados sexualmente e precisamos fazer uma escolha: concentrar-nos no que vemos e desejá-lo ou agradar a Deus e honrar a aliança de amor com a esposa. A quem queremos agradar? A Deus ou à carne? Essa é razão da advertência de Jesus. Ele deseja nos livrar das consequências emocionais e espirituais, e mesmo físicas, do adultério, seja por tê-lo praticado ou desejado. Jesus não diz que sexo é pecado, mas sim o sexo fora do casamento, mesmo que apenas em pensamento, pois ele traz dor, vergonha, vazio e culpa, como trouxe a Judá.

A boa notícia é que, ao confiar em Jesus, temos os recursos necessários para lidar com o vazio da alma causado pelo pecado. Jesus sofreu violência emocional, pois foi traído por aqueles a quem amou. Jesus entende de rejeição, de traição, de abandono, de desprezo e falta de consideração. O autor da carta aos Hebreus nos diz que temos um Salvador que não somente nos perdoa pecados, mas também nos socorre em nossas tentações: "Portanto, era necessário que ele se tornasse semelhante a seus irmãos em todos os aspectos, de modo que pudesse ser nosso misericordioso e fiel Sumo Sacerdote diante de Deus e realizar o sacrifício que remove os pecados do povo. Uma vez que ele próprio passou por sofrimento e tentação, é capaz de ajudar aqueles que são tentados" (Hb 2.16-18).

Como ser restaurado, restaurada? Aí está a resposta. Em

Jesus temos o perdão do pecado do ressentimento, dos maus-tratos, da ocultação da verdade, da mentira, do adultério, da pornografia e muito mais, pois somos pecadores. Mas, além de perdoar pecados, Jesus foi tentado em tudo que nós somos, e por isso ele é capaz de nos socorrer. Quando as lembranças do passado nos assolam, devemos correr para Jesus e relembrar que ele já nos perdoou. Quando o vazio nos invadir a alma e nos sentirmos tentados ao pecado, saberemos a quem recorrer para vencer a tentação de buscar na fonte errada o consolo e conforto para a alma.

Deus não só quer reconstruir nossa vida, mas também a de nossa família. Não para que nos tornemos perfeitos. Não existe família perfeita, mas existe família que depende da graça de Deus, famílias amorosas a despeito das imperfeições de cada um de seus membros. Quando nos abrimos para Deus, ele transforma famílias desastrosas em famílias cheias de mútuo acolhimento baseado na graça. Sim, a graça transforma. Onde havia desrespeito e abuso, passa a reinar paz, respeito e amor. E onde existe amor, há perdão e cura.

CONCLUSÃO
A graça que rompe ciclos intergeracionais danosos

....

Toda família pode ter a esperança de dias de transformações.

*No amor não há medo;
ao contrário o perfeito amor expulsa o medo.*

1João 4.18

Se olhássemos os eventos positivos e o legado deixado por Abraão, Isaque, Jacó, José, Lia e Judá, teríamos uma visão incompleta da história de cada um. Se, ao contrário, olhássemos apenas os problemas e como foram transmitidos, nossa conclusão seria decepcionante, pois sempre esperamos perfeição de nossos heróis bíblicos. Mas quando olhamos para eles pelos olhos da graça, nossa vida imperfeita se enche de esperança. Nossa história individual e familiar assemelha-se à deles, e o Deus deles é o mesmo Deus em quem confiamos. O Deus que transformou essas histórias em histórias permeadas pela graça é o mesmo Deus capaz de transformar a história de famílias imperfeitas em histórias marcantes.

O que vimos na história familiar dos patriarcas foi a recorrência de certos erros entre gerações. Isaque não tinha nenhum controle sobre como seu pai o tratara ou a Hagar. Da mesma forma José em relação a seus irmãos. Contudo, tanto Isaque como José poderiam ter impedido a recorrência, na própria família, dos erros praticados nas respectivas famílias de origem. Assim também é conosco. Todos nós herdamos da família traços positivos e negativos, uma bagagem que exerce impacto profundo em nossa vida hoje. Mas, como vimos, os erros do passado não precisam repetir-se em nós, nem podemos culpar nossos antepassados pelos erros que cometemos. Nós somos os responsáveis por nossos próprios pecados.

Abraão, Isaque e Jacó não agendavam uma hora na semana para ensinar aos filhos como agir nas diferentes circunstâncias da vida. No entanto, cada geração aprende com a anterior por meio de conversas informais e pela observação de comportamentos positivos e negativos, de práticas edificantes e danosas. O comportamento disfuncional ou impróprio de alguém na família pode se tornar modelo para a próxima geração, alimentando o ciclo danoso.

Quando pensamos em herança familiar ou legado, em geral temos em mente os olhos verdes do avô, os cabelos ondulados da tia ou, quem sabe, a voz firme de um tio locutor de rádio. Sim, muitas vezes esses traços se repetem, mesmo um espírito bondoso ou um coração de servo de um antepassado. Mas não podemos esquecer que parte do legado vem também recheado de traços negativos, que precisam ser interrompidos ou banidos da história familiar. Tendências suicidas e depressão, aspectos genéticos que podem ser passados para outras gerações, precisam ser tratados medicamentosa ou terapeuticamente. Mas para isso é necessário que os afetados encarem a realidade da herança genética e busquem ajuda.

Outros traços, porém, nenhuma relação guardam com a genética, mas, sim, com a natureza pecaminosa de cada indivíduo de cada geração. Por exemplo, filhos de pais egoístas ou egocêntricos tendem a viver um estilo de vida egoísta e egocêntrico. Não se trata de transmissão genética, mas de aprendizado fruto da convivência familiar. Cônjuges que abusam do outro verão os filhos abusarem de seu futuro cônjuge ou casarem com abusadores. Inadvertidamente, esse comportamento foi observado e entendido como natural. Decisões e costumes dos pais influenciarão os filhos e as próximas gerações se alguém nessa cadeia não resolver gritar, seja para sair do sistema, seja para pedir ajuda, e assim romper o ciclo disfuncional iniciado no lar de origem.[1]

Entretanto, quando entendemos o poder de Deus em nossa vida e usufruímos da graça que ele nos oferece, vemos que esse ciclo pode ser rompido e uma nova família pode surgir. Indivíduos podem ser transformados. Talvez os traços ou comportamentos danosos aprendidos em casa não desapareçam, mas na dependência de Deus aqueles afetados por tais traços terão os recursos para não perpetuar comportamentos nocivos adquiridos em sua família de origem. Talvez a transformação não ocorra na família inteira, mas pelo menos um membro dela poderá ter uma vida saudável, apesar das disfuncionalidades de seu sistema familiar.

Isaque com certeza viu a fé de seu pai, Abraão, e por isso também está na galeria dos heróis da fé (Hb 11.20). A história da fé demonstrada por Abraão e Sara ao crerem que seriam pais mesmo com mais de 90 anos de idade deve ter influenciado Isaque a orar por Rebeca, que era estéril, e viu a esposa gerar dois filhos, Esaú e Jacó. Semelhantemente, o já idoso Jacó, como fruto da influência de seu pai, Isaque, não perdeu de vista as promessas de Deus e, com os olhos no futuro, abençoou os filhos de José e adorou a Deus (Hb 11.21).

Essas experiências de fé pelas quais Isaque e Jacó passaram

não constituem heranças genéticas, mas frutos da observação das ações de seus pais nas circunstâncias vividas como família. A fé dos filhos não é herdada dos pais, mas a vida de fé dos pais motiva os filhos a desejarem conhecer o Deus dos pais. Creio que todos os pais cristãos decoram Provérbios 22.6: "Instrui o menino no caminho em que deve andar, e, até quando envelhecer, não se desviará dele" (RC). Em geral associamos esse versículo à salvação, o que não é correto, pois isso implicaria que o perdão de pecados dos filhos e a sua salvação dependeriam da instrução dos pais. Claro, se os pais ensinarem sobre Jesus, e os filhos crerem em seu perdão e sacrifício na cruz, serão salvos, mas não porque os pais instruíram, e sim porque creram. Os pais foram apenas instrumento de Deus. Esse versículo refere-se ao aprendizado comportamental. Se os pais viverem corretamente, as crianças, observando-os, repetirão esse comportamento e o levarão para a respectiva família. O inverso, porém, também é verdadeiro.

Isso significa que, se Isaque, Jacó, José, Lia e Judá não tivessem repetido os erros dos pais, poderiam ter tido experiências diferentes? Sem elaborar muito, a resposta é sim. Embora tenham crescido na fé, não se deixaram permear por ela em diversos aspectos de sua vida e por isso acabaram repetindo o que viram em casa. Ter fé não é uma vara de condão que nos protege das adversidades ou intempéries da vida. A fé nos ajuda a atravessá-las, e nesse processo de sofrimento ela é desenvolvida e aperfeiçoada.

A família de Raul também conseguiu caminhar. O que iniciou com o comentário de um adolescente sobre o desejo de ter uma família perfeita gerou outras conversas com toda a família e, depois de algum tempo, a ação de Deus pôde ser vista na vida de seus membros. O que essa família aprendeu é que, mesmo sendo imperfeita, ancorada na graça de Deus ela poderia crescer e, livre do ciclo danoso, refletir a pessoa de Jesus.

Rony, o então adolescente que procurara o pastor Davi, aprendeu que despir-se do passado é crucial para uma vida familiar livre, moldada pela graça, e que o alvo não era sonhar com uma família perfeita, mas educar a própria família a moldar-se pela graça de Deus. Para isso era necessário perceber quais comportamentos familiares causavam conflitos e deixavam de refletir Jesus, incluindo os dele mesmo. O apóstolo Paulo nos diz: "Quanto à antiga maneira de viver, vocês foram ensinados a despir-se do velho homem, que se corrompe por desejos enganosos" (Ef 4.22, NVI). O desafio colocado pelo apóstolo é que algumas características da pessoa presentes antes de conhecer a Cristo precisam ser postas de lado. As antigas práticas nocivas precisam ser abandonadas radicalmente. No passado, sem Jesus, vivíamos alienados de Deus, entregues a diversos tipos de perversão ou perversidade. Éramos "insensíveis" (Ef 4.19), palavra que tem a ver com imoralidade, violência, comportamento licencioso e falta de consideração com o outro.

Ao longo das conversas com a família de Rony, o pastor Davi viu Raul, o pai, confessar e admitir seus pecados e falhas perante a família. Mas não só o pai admitiu e confessou pecados. Ruanita, a filha que fugira, admitiu ter sido usuária de drogas e provocado um aborto. Outras questões dos demais membros foram levantadas e tratadas. As falsas culpas caíram por terra. A dor da família foi compartilhada entre seus membros, e a cura teve início.

Despir-se, termo usado por Paulo no referido texto, tem a ver com admissão do erro e arrependimento, ou com o compromisso de fugir do padrão comportamental adotado até então. O despir-se de comportamentos pecaminosos aprendidos e herdados é o primeiro passo para que uma família ou um membro dela seja restaurado. Trata-se de decidir tirar a roupa inadequada e não condizente com o desejo de refletir Cristo na própria vida.

Cada membro da família de Rony decidira despir-se das práticas do passado e não olhar para si mesmo a partir dos eventos dolorosos e pecaminosos, traços antigos da família. Hoje, eles estão assumindo as próprias responsabilidades no processo de mudança, sem culpar uns aos outros. Nossa mudança independe da mudança alheia. É uma decisão advinda do poder de Jesus em nossa vida.

Nesse processo, é importante desenvolver algumas atitudes cruciais. A primeira delas é humilhar-se perante Deus, pedindo-lhe que nos sonde o coração (Sl 139.23-24). Apenas quando encaramos nossa pecaminosidade e admitimos que desagradamos a Deus devido a sentimentos e comportamentos, a decisão de despir-se dos velhos hábitos faz sentido. Precisamos permitir que Deus nos invada o coração e nos convença dos erros, sem que nos justifiquemos, mas apenas os admitamos a fim de abandoná-los.

A segunda atitude é admitir nossa vulnerabilidade. Ela pode apresentar-se na forma de carência do amor de nossos pais, que não nos amaram como deveriam ou como esperávamos. Na forma de fixação por sexo como um deus particular, travestido erroneamente como amor. Na forma de ganância aprendida de algum membro da família, levando-nos a querer alcançar nossos objetivos a qualquer custo. Todo esse tipo de coisa precisa ser tratado e admitido a fim de romper o ciclo danoso imposto por essas práticas, e assim abrir-nos para um novo momento de vida. Negar essas realidades é demonstração de orgulho e autossuficiência. Admiti-las é reconhecer nossa vulnerabilidade. E se somos vulneráveis, precisamos nos fortalecer. E esse fortalecimento começa com o despir-se de velhos hábitos e a busca de novos, no poder de Deus.

A terceira atitude é confessar (1Jo 1.8-9). Confissão verdadeira só existe com arrependimento verdadeiro. O arrependimento abre o caminho de entrada da graça no coração dolorido pelo pecado, uma vez que, pelo sangue de Cristo derramado na cruz, a culpa é apagada. Quando reconhecemos em nós padrões de comportamento incompatíveis com o amor de Deus e decidimos abandoná-los, a admissão da culpa nos faz correr para Jesus a fim de receber dele o perdão. O verdadeiro arrependimento nos leva em direção oposta ao passado e nos motiva a prosseguir e romper os laços com os comportamentos danosos aprendidos ou praticados.

O sangue de Jesus derramado na cruz é nosso recurso para libertar-nos da culpa pelos pecados que cometemos, não por causa dos outros mas por nossa própria decisão, o que nos leva a outra importante questão: a mente renovada nos protege de recair nos padrões familiares danosos do passado.

Sim, despir-nos dos hábitos do passado é a primeira atitude a ser tomada, mas se ficarmos nela apenas criamos um vazio que logo poderá ser novamente preenchido pelas práticas do passado ou por novas práticas danosas para nós mesmos ou para a família. Práticas do passado geram muitas vezes uma zona de conforto, assim como também o pecado, visto que pecar traz certo prazer. Por isso, é preciso avançar para o próximo nível, definido em Efésios 4.23: "Deixem que o Espírito renove seus pensamentos e atitudes".

Perceba que essa renovação é uma obra do Espírito, a quem devemos abrir espaço. O despir-se é uma atitude imediata e deve ser definitiva. Trata-se de rejeitar o antigo estilo de vida. Sem retorno. Entretanto, todos somos pecadores e fracos, e a pressão do dia a dia pode nos fazer recair e até pensar que o passado era melhor. Por isso, temos de escolher essa nova vida permitindo que o Espírito Santo que habita em nós diariamente renove e reforce a decisão tomada.

O sentido do verbo grego para "renovar" (*ananeo*) traz em si a ideia de tornar algo novo, melhorado, restaurado, restabelecido, e por estar no presente do indicativo indica uma ação em andamento, contínua. Significa que a decisão de não voltar aos padrões antigos é renovada diariamente, para que novos pensamentos oriundos das Escrituras venham a preencher-nos a mente. Nesse processo, o Espírito Santo elimina, por exemplo, nossa sede de vingança e, em seu lugar, gera uma atitude de misericórdia e perdão com relação ao ofensor. Essa renovação não tem fim, pois nossa natureza pecaminosa não foi extinta quando nos convertemos. Pelo poder do Espírito Santo vamos aprendendo a não nos deixar dominar pela velha natureza de modo a parecer-nos mais e mais com Jesus.

Graças à ação de Deus em sua vida, Raul tem conseguido lançar um novo olhar para o avô e o irmão. Não um olhar complacente, mas misericordioso. O silêncio e retração antes praticados em relação aos filhos têm sido trocados pela compreensão, pelo esclarecimento diante de dúvidas, pela disposição de pedir ajuda à família para lidar com as circunstâncias. Aos poucos, Raul tem conseguido conversar com a esposa sobre os sentimentos dele, o que raramente era feito no passado. Hoje, quando assaltado pela vontade de acessar um *site* erótico, ele é capaz de lidar com a carência lembrando quem ele é em Jesus, em quem busca os recursos necessários para não se deixar dominar, como no passado.

Ruanita, por sua vez, tem procurado trocar o ressentimento contra o tio, seu pai biológico, pela gratidão a sua mãe, que decidiu levar adiante a gravidez e amá-la, em vez de abortá-la. Em outras palavras, a ânsia de ser amada e a confusão quanto a sua identidade foram substituídas pela verdade profunda de que Deus a ama e por isso usou sua mãe para dar-lhe vida, e não morte. Sua identidade não é a de filha de um estupro, mas de filha amada por Deus. Essa mudança de compreensão é fruto da renovação que o Espírito Santo está produzindo nela. Isso, contudo, não significa que Ruanita nunca mais sentirá estranheza por sua história de vida. Mas, cada vez que esse sentimento bater em seu coração, o Espírito Santo a lembrará de sua condição de filha de Deus.

Toda essa transformação na família de Raul é sobrenatural, fruto do verdadeiro evangelho na vida de seus membros. Foi preciso reconhecer os sentimentos de raiva, injustiça e mágoa, e ao mesmo tempo entregar-se ao Espírito Santo a fim de que a renovação ocorresse.

Talvez você esteja se perguntando como o Espírito Santo nos renova a mente. A resposta vem diretamente de Jesus, em João 17.17, quando, orando por seus discípulos, ele pede ao pai: "Consagra-os na verdade, que é a tua palavra". O Espírito Santo nos renova a mente pelo aprofundamento, em nosso ser, das verdades finais que nos descrevem em Cristo e nos apontam para o Pai celestial. Significa que uma pessoa que se sinta negligenciada pelos pais será renovada quando, apesar dessa situação, ela tiver confiança de que Deus cuida dela. O sangue de Jesus já nos perdoou e por isso podemos ser assertivos, sem nos deixar controlar por sentimentos negativos oriundos do passado. Para que o Espírito nos renove a mente, ela precisa ser alimentada constantemente pela Palavra, a matéria-prima de que o Espírito Santo lança mão para renovar nossa estrutura emocional e espiritual. É fundamental priorizar um tempo a sós com Deus, ler sua Palavra e orar.

Quando o Espírito Santo vem habitar em nós, Deus nos permite viver de acordo com a nova identidade. Fomos feitos seus filhos, participantes da natureza divina, conforme o apóstolo Pedro escreveu: "E, por causa de sua glória e excelência, ele nos deu grandes e preciosas promessas. São elas que permitem a vocês participar da natureza divina e escapar da corrupção do mundo causada pelos desejos humanos" (2Pe 1.4). Participar da natureza divina não quer dizer que sejamos divinos, mas sim que nossa nova roupa, nosso novo revestimento, expressará muito das qualidades divinas, como a excelência moral, o conhecimento de Deus, o domínio próprio, a perseverança, a devoção a Deus, a fraternidade e o amor. Significa que onde havia mágoa agora existe um espírito perdoador. Isso é romper os laços comportamentais adquiridos.

Uma família permeada pela graça não é perfeita. Ela também perde a paciência, também erra, mas por causa dessa graça ela busca dominar a ira, perdoar e pedir perdão. Ela também não anda sozinha. Não temos como romper vínculos com o passado se andamos sozinhos. Raul e Roberta decidiram participar de uma pequena célula da igreja e compartilhar um pouco de suas lutas com seus integrantes, pessoas mais maduras que eles. O grupo tem sido um tremendo suporte para que se mantenham firmes na decisão de se despirem dos velhos hábitos. Ali, ambos encontraram acolhimento e talvez pela primeira vez vivenciaram o que é ser igreja. Esse tipo de encontro comunica aceitação, encorajamento e liberdade para ser o que cada um é. Dores são compartilhadas, ouvidas, corrigidas e curadas, tudo em um contexto amoroso que reflete Jesus.

É por causa da cruz de Cristo, onde seu sangue foi derramado e pelo qual ele nos comprou, que o ciclo nocivo da herança familiar pode ser rompido. Quando relembramos a história de Judá, vimos que o círculo vicioso em sua vida foi rompido quando ele se arrependeu. Embora Jesus ainda não houvesse morrido na cruz, Deus usou essa história de vida para apontar o futuro sacrifício de Jesus, que perdoaria nossos pecados. A própria experiência de Judá, oferecendo-se em sacrifício pelo irmão Benjamim, ilustra essa verdade futura.

Se não fosse pela cruz de Cristo, nada do que falamos até agora seria possível. Se não fosse a cruz de Cristo, morreríamos em nossos pecados, nossa família continuaria a exibir comportamentos disfuncionais e o futuro de cada indivíduo ou família estaria sempre ameaçado. Porque sem a cruz não há cura para as dores familiares, nem para as dores pessoais, nem para qualquer tipo de dor. Dores não curadas causam frustrações, doenças psicossomáticas, estresse, depressão e desânimo. Cristo, porém, mudou tudo: "Mas ele foi ferido por causa de nossa rebeldia e esmagado por causa de nossos pecados. Sofreu o castigo para que fôssemos restaurados e recebeu açoites para que fôssemos curados" (Is 53.5).

O sofrimento de Jesus na cruz e durante toda sua vida permitiu-lhe entender-nos e desenvolver empatia por nossas dores. Ele foi negligenciado por amigos, traído por aqueles a quem mais se deu, humilhado, rejeitado e finalmente crucificado. Se tem alguém que entende de dor, é Jesus. Quando você e eu lhe dirigimos palavras como "Estou com raiva, fui traído", "Por que não sou amado pelos que deveriam me amar?" ou "Como aquele que deveria me proteger não o fez, em vez disso me feriu ainda mais?", Jesus entende nosso sofrimento por que ele passou por tudo isso. Suas dores se tornaram instrumentos para nossa cura. A paz de que às vezes sentimos falta nos relacionamentos familiares pode ser sentida em nosso coração porque Jesus é a nossa paz. As dores causadas pelos danos trazidos de geração a geração podem ser curadas porque os ferimentos de Jesus na cruz nos garantem a cura. Não porque mereçamos, mas porque Deus nos estendeu sua graça, por meio de Jesus.

Mas, afinal, o que é graça?

Graça é o ato amoroso de Deus pelo qual ele escolhe nos conceder seu favor, mesmo que não o mereçamos. Por nossos pecados, o que merecemos é a punição eterna. Mas Deus, em vez de nos destruir ou nos confinar no inferno, escolheu enviar Jesus para morrer em nosso lugar e assim nos libertar da consequência eterna do pecado. Não significa que Deus deixe nosso pecado impune, porque embora seja amoroso e misericordioso é também justo. Entretanto, por seu amor, em vez de nos punir ele enviou seu Filho, Jesus, para que fosse punido em nosso lugar. Isso é graça. Ela não nos impacta apenas no que diz respeito ao perdão de pecados e à vida eterna com Deus. A graça que recebemos em Jesus nos move a reagir do mesmo modo com quem nos ofende, abandona, negligencia, abusa de nós. É a graça de Deus que traz as grandes mudanças na família.

Mas não se engane. Graça não é algo barato. Ela nos veio pela cruz e não nos concede liberdade de fazer o que desejamos para então esperar o perdão de Deus. O que alimenta a graça de Deus em nossa vida é a confiança na Palavra e o compromisso de, na dependência dele, fazermos e vivermos como ele quer. Antes de encontrar Jesus, não tínhamos os recursos nem a vontade de realizar seu desejo. Agora, por amor a ele, fazemos o que ele deseja, não para ganhar seu favor, mas para agradá-lo.

Terminemos esta reflexão com duas histórias significativas que ilustram o poder da família sobre as futuras gerações.

Jonathan Edwards, pregador e teólogo, e pai de onze filhos, estudou na Universidade Yale e chegou a ser presidente da Universidade de Princeton. Entre seus descendentes temos: 1 vice-presidente dos Estados Unidos, 1 deão de uma faculdade de direito, 1 diretor de uma escola de medicina, 3 senadores, 3 governadores, 3 prefeitos, 13 presidentes de faculdades, 30 juízes federais e estaduais, 60 médicos, 65 professores universitários, 75 militares entre capitães e generais, 100 advogados, 100 pastores de igrejas e 285 outros com formação em universidades americanas. Um detalhe interessante é que muito da capacidade e do talento, da intensidade e do caráter dos mais de 1.400 descendentes de Jonathan Edwards deveu-se também a sua esposa, Sarah Edwards. O trabalho conjunto do casal influenciou profundamente suas gerações futuras.[2]

Em contrapartida, o pesquisador e sociólogo americano Richard L. Dugdale pesquisou, em 1877, a vida de 42 prisioneiros que cumpriam pena no sistema carcerário do estado de Nova York. Max Juke foi um deles. Entre os descendentes de Juke, foram identificados 7 assassinos, 60 ladrões, 190 prostitutas, 150 alcoólicos, além de vários outros parentes presos por diversos crimes. Viveram em extrema pobreza 310, outros 440, vítimas do alcoolismo, apresentaram necessidades especiais, e 300 morreram prematuramente. Os que alcançaram algum tipo de estudo somaram 2.200.[3]

Um duro contraste de herança familiar. Não que haja qualquer garantia de que o modelo familiar possa impedir o desvio de um filho ou de uma filha dos caminhos do Senhor. Mas o trabalho dos pais, na dependência de Deus, gera frutos. Em contrapartida, os descendentes de Max Jukes tampouco podem culpar seu ascendente pelos erros que cometeram. Apesar disso, o fato é que ambas as famílias nutriram um ambiente responsável pela transmissão de seus valores às futuras gerações. Com certeza, nem os Edwards pensaram que teriam entre as futuras gerações um vice-presidente da nação, nem os Juke planejaram criar uma quadrilha. O que não se pode negar é que a edificação da família gera frutos para as novas gerações. Pais fiéis a Jesus, moldados pela graça, não geram filhos fiéis, mas servem de modelo e referência, podendo levar os filhos a desejar andar com Deus a exemplo do que fizeram seus pais. O inverso é também verdade.

Padrões incompatíveis com o caráter de Deus precisam ser eliminados de nossa vida enquanto traços do caráter de Deus devem ser absorvidos, a fim de nos tornarmos seus instrumentos na formação das próximas gerações. Mais uma vez, pais íntegros não são garantia de que seus descendentes também o serão, e vice-versa. Mas o modelo familiar pode ser criado e inspirar futuras gerações. Assim também, o erro dos pais não é punido nos filhos, mas o que os filhos aprenderam de errado com os pais pode trazer disciplina da parte de Deus, não por causa dos pais, mas pela opção dos filhos. A boa notícia é que a graça de Deus se perpetua "até mil gerações" (Êx 20. 6), expressão usada para evidenciar o contraste entre a disciplina e a graça de Deus. O alcance da graça é ilimitado para aqueles que buscam agradá-lo, na dependência dele.

Deus deseja usar nossa família, apesar de nossas imperfeições. Efésios 4.24 diz que a nova roupagem nos foi concedida de acordo com a retidão e a santidade de Deus. Quando nos apropriamos da verdade de que fomos separados para ser santos, devemos ter em mente que ser santo também implica ser separados para o uso de Deus. Fomos salvos pela graça não apenas para ganharmos o céu depois da morte, mas também para realizar as obras que ele nos preparou (Ef 2.10). A sua e a minha família podem ser uma ilustração da graça de Deus. A história da família de Raul e Roberta pode servir como encorajamento para muitas outras famílias que estejam passando pelo que ela passou. Ver o agir de Deus na vida dela pode motivá-las a buscar essa mesma graça.

Da raiz de Judá, um líder fracassado oriundo de uma família caótica, veio o Messias. Como? Pela graça. Portanto, amado leitor, amada leitora, se sua família carrega feridas do passado, se você tem repetido erros e cometido os mesmos pecados, é possível mudar sua história. Meu desafio para você é que entregue a sua vida e a de sua família a Jesus, que se comprometa a ser canal das bênçãos de Deus para ela.

Anos atrás o jovem Rony me perguntou: "Minha família poderá ser perfeita, tio?". Respondo aqui como se estivesse falando com um de meus filhos: "Você não terá uma família perfeita, mas, se na cruz de Cristo você buscar os recursos para refletir Jesus para ela, você verá que Deus intervirá em sua família e, apesar das imperfeições, ao longo do tempo, verá transformações frutos da graça. Assim, oro por você, meu querido Rony. Nunca esqueça: para famílias imperfeitas existe sempre a graça perfeita de Deus".

Em Jesus,

~~Pr. Davi~~

LISÂNIAS MOURA, filho de Deus, esposo, pai, pastor, buscando cuidar, apesar de suas imperfeições, de uma família e de uma igreja, alicerçado na graça.

APÊNDICE
Uma palavra a pastores e líderes

....

Queridos companheiros de ministério, paz e graça da parte de nosso amado Salvador, Jesus.

Não podemos fazer de conta que em nossas igrejas não existem muitas famílias como a de Raul e Roberta, famílias que herdaram e carregam um pesado fardo e que mantêm práticas e valores que não refletem os traços de Jesus. Famílias cuja história inclui estupro, incesto e todo tipo de abuso. Entre o rebanho, estão aqueles que gritam por socorro e por mudanças em sua família, aqueles que por vergonha ou medo da rejeição permanecem em silêncio, fechando-se na escuridão. Mas todos permanecem ali, como se a igreja fosse o tanque de Betesda (Jo 5.1-4), onde, quem sabe um dia, alguém se dará conta deles e os ajudará a entrar na água. Para alguns, a igreja é o último lugar de esperança antes de desistirem da vida. Por isso, gostaria de compartilhar algumas ideias sobre nosso ministério, que toca nesse tipo de pessoas e famílias, como ilustrado neste livro.

Em primeiro lugar, nosso púlpito deve comunicar que a graça de Deus se estende também a esse tipo de família e pessoas. A igreja precisa tornar-se a própria pele de Jesus, que pode ser tocada e que também as toca, sem preconceitos ou rejeição.

Líderes de células ou pequenos grupos muitas vezes carecem de direção sobre como lidar com pessoas ou famílias marcadas pelo incesto ou abuso sexual, dentro ou fora da família.

Quem sofreu esse tipo de abuso não precisa inicialmente de receitas para sobreviver. Precisa primeiro de acolhimento, sem julgamento, a fim de que sinta estar em um lugar seguro e se certifique de que é amado apesar de sua história de vida. Precisa de um grupo de apoio que ore em seu favor, que o receba como está e espere com ele o momento em que pedirá ajuda.

Nossas mensagens precisam sempre apontar para Jesus como a esperança final para todos, o que inclui pessoas e famílias machucadas ou sobreviventes de experiências imorais causadas por outros, como abuso físico, sexual ou emocional, incesto, discriminação de qualquer tipo que destruiu a alma da pessoa, e assim por diante.

Ter um ministério voltado para famílias é crucial em uma igreja, mas ele precisa ser suficientemente maduro para também acolher e lidar com pessoas marcadas pela homoafetividade, pela discriminação e rejeição. Um ambiente propício é fundamental para que as pessoas busquem ajuda, e esse ambiente começa no púlpito, com o próprio pastor, que deve demonstrar acolhimento indiscriminado.

Um curso sobre como iniciar uma nova família sem os traços negativos das famílias anteriores pode ser o contexto ideal para acolher casais com histórias difíceis passadas de geração a geração. O título do curso deve ser ao mesmo tempo criativo e pensado cuidadosamente para não ofender as famílias de origem dos casais participantes, mas também ser uma chamada para aqueles que desejam construir a família atual sobre novos valores. O curso preparatório para o casamento, que em geral toda igreja oferece, também deve incluir no currículo o tema sobre o que se traz das famílias passadas.

Mas também precisamos pensar em nós como pastores. Se parte de nosso ministério enfoca na maior parte do tempo o aconselhamento pastoral, desgaste emocional e físico nos sobrevirá. Por isso, meu querido, minha querida, cuide de si mesmo. Você não foi chamado para curar todos os casos de dores emocionais da igreja. Isso é tarefa de Deus. É sempre bom que casos de incesto, estupro e depressão, por exemplo, também sejam passados para quem tem mais experiência, como um conselheiro bíblico, um psicólogo ou mesmo um psiquiatra, dependendo do caso. Mas é importante frisar que essas pessoas não devem ficar sem acompanhamento pastoral.

Como pastores, não podemos transmitir a ideia de que somos sempre vitoriosos. Não faz bem para a igreja que seu pastor passe a imagem de alguém que nunca teve dificuldades e que compartilha apenas vitórias. Parte de nossa saúde emocional se fortalece quando temos um grupo de pessoas, ou mesmo um ou dois amigos, com quem possamos e precisemos despir-nos, de modo a ser vistos como realmente somos: fracos e dependentes de Deus. Ao contrário do que alguns possam imaginar, isso não nos tira a credibilidade, em vez disso aumenta a confiança da igreja em nós.

Sou muito grato a Deus pelo time de pastores que Deus colocou em nossa igreja. Com eles consigo abrir o coração sobre coisas boas e ruins que me acometem. Com eles posso dizer quando sinto ciúmes de outro pregador porque não prego como ele, ou de outra igreja que cresce exponencialmente enquanto a nossa, às vezes, vagarosamente.

Finalmente, cuidemo-nos para que não sejamos apenas uma fábrica de sermões. Precisamos zelar para cuidar da alma e nos alimentar espiritualmente, assim como dizemos a nosso rebanho, de púlpito, que o faça. Isso nos manterá sadios para enfrentar momentos como os da família de Raul e Roberta, e de outros que Deus nos traga para que sejam ajudados.

Em Cristo, com as mesmas lutas que você enfrenta, mas buscando na graça os recursos para lidar com minhas imperfeições. Afinal, se para famílias imperfeitas existe a graça perfeita, também para pastores imperfeitos existe a graça perfeita.

Notas

Introdução

[1] Embora as histórias aqui contadas sejam reais, os nomes foram alterados, bem como acrescentados ou excluídos alguns detalhes a fim de manter o anonimato. Um paralelo foi traçado entre os relatos ouvidos no gabinete pastoral e a história de famílias da Bíblia a fim de mostrar que problemas antigos se repetem em nossos dias. Contudo, a exemplo do que ocorreu com aquelas famílias do passado, Deus continua a oferecer direção, esperança e restauração para as famílias de hoje.

Capítulo 1

[1] Ver, p. ex., Yair Zakovitch, "Disgrace: The Lies of the Patriarch", *Social Research*, vol. 75, n° 4, 2008, p. 1035-1058, <https://www.jstor.org/stable/40972106>. Todos os acessos em 5 de jan. de 2022.

Capítulo 2

[1] Ver Louis Rushemore, "Marriage Ages in the Bible", *Gospel Gazette Online* 7, n° 5 (mai. de 2005), <https://www.gospelgazette.com/gazette/2005/may/page20.htm>.

[2] Jóice Bruxel, "Pais superprotetores criam filhos inseguros", *Psiconlinenews*, <https://psiconlinews.com/2017/11/pais-superprotetores-criam-filhos-inseguros-entenda-as-consequencias.html>.

[3] A expressão usada pelo autor de Gênesis carrega, em hebraico, a ideia de alguém que estava junto, ao lado, ao mesmo tempo. Ver H. W. F. Genesius, *Gesenius' Hebrew-Chaldee Lexicon to the Old Testament Scriptures* (Bellingham, WA: 2003), Logos Bible Software, p. 635.C.

[4] Stephen Arterburn, *Paredes emocionais: Como superar os obstáculos que impedem sua vida de seguir adiante* (São Paulo: Mundo Cristão, 2011), p. 86.

[5] Citado em Charles R. Swindoll, "Passive Men, Wild Women", Articles Library, *The Bible-Teaching Ministry of Pastor Chuck Swindoll*, 10 de mai. de 2010, <https://www.insight.org/resources/article-library/individual/passive-men-wild-women-1>.

[6] Henry Cloud e John Townsend et al. *Unlocking Your Family Patterns: Finding Freedom from a Hurtful Past* (Chicago: Moody Press, 2011), p. 126.

[7] Esse termo carrega a ideia de meiguice, afeto e carinho. É a disposição de ser amoroso com o outro apesar das circunstâncias e não implica necessariamente palavras ou ações. Muitas vezes é o simples abraçar quando o outro falha. Jesus é firme e terno conosco. Confronta-nos sem perder a doçura.

Capítulo 3
[1] Henry Cloud e John Townsend, *Limites: Quando dizer sim, quando dizer não* (São Paulo: Vida, 2001), p. 194.
[2] W. D. Reyburn e E. M. Fry, *A Handbook on Genesis* (New York: United Bible Societies, 1998), p. 806.

Capítulo 4
[1] Nancy Leigh DeMoss, *Escolhendo o perdão: Sua jornada para a liberdade* (São Paulo: Vida Nova, 2020), p. 31.
[2] Costume da época, o faraó tinha a prerrogativa de escolher a esposa para alguém, obrigando-os ao compromisso. Muitas vezes era um ato de bondade, como certamente foi no caso de José, que não era possível recusar, por tratar-se de um presente do rei.
[3] Bible Hub, *amal*, H5999, Strong's Concordance, <https://biblehub.com/hebrew/5999.htm>.
[4] Dr. Kalil e Dr. Álvaro Avezum, "Medicina e espiritualidade", Canal do Dr. Kalil, 29 de jan. de 2020, <https://www.youtube.com/watch?v=5Fb_a4goI9o>.

Capítulo 5
[1] Citada em Lutza Matos, "Rejeição é um trauma para a vida", *O Tempo* (portal), 14 de mai. de 2017, <https://www.otempo.com.br/interessa/rejeicao-e-trauma-para-a-vida-1.1473187>
[2] A. Gosman, J. P. Lange, Tayler Lwis, Philip Schaff (orgs.), *Lange's Commentary on the Holy Spirit: Genesis* (Bellingham, WA: Faithlife, LCC, 2008), Logos Bible Software, p. 528.
[3] Robert Alter, *Genesis: Translation and Commentary*, 1ª ed. (New York: W. W. Norton & Company, 1997), ed. digital, posição 6381.
[4] R. L. Harris, G. L. Archer Jr. e B. K. Waltke (orgs.), *Theological Wordbook of the Old Testament* (Chicago: Moody Press, 2003), Logos Bible Software, p. 848.
[5] Elyse Fitzpatrick, *Ídolos do coração: Aprendendo a amar somente a Deus* (São Paulo: Vida Nova, 2016), p. 28.

Capítulo 6

[1] Derek Kidner, *Genesis: An Introduction and Commentary*, vol. 1 (Downers Grove, IL: InterVarsity Press, 1967), p. 200.
[2] Robert Wolgemuth, *Mentiras que os homens acreditam e a verdade que os liberta* (São Paulo: Vida Nova, 2020), p. 130.
[3] W. D. Reyburn e E. M. Fry, *A Handbook on Genesis* (New York: United Bible Societies, 1998), p. 885.
[4] Chelsey Harmon, "Judah and Tamar, Genesis 38 Commentary", Calvin Theological Seminary, Center for Excellence in Preaching, <https://cepreaching.org/commentary/chelsey-harmon/genesis-38/>.
[5] Timothy Keller, "Love and Lust" (sermão), Gospel in Life, 10 de ago. de 2015, <https://youtu.be/jUWnE6GeOiE>.

Conclusão

[1] Ver Laura Dal Bello, Marlene Magnabosco Marra, "O fenômeno da transgeracionalidade no ciclo de vida familiar: casal com filhos pequenos", *Revista Brasileira de Psicodrama*, vol. 28, n° 2, mai.–ago. de 2020, <http://pepsic.bvsalud.org/scielo.php?script=sci_arttext&pid=S0104-53932020000200003>.
[2] Larry Ballard, "Multigenerational Legacies — The Story of Jonathan Edwards", Young With a Mission, Family Ministries, 1° de jul. de 2017, <https://www.ywam-fmi.org/news/multigenerational-legacies-the-story-of-jonathan-edwards/>.
[3] Idem.

Sobre o autor

....

Lisânias Moura é pastor sênior da Igreja Batista do Morumbi, em São Paulo, onde tem servido pastoralmente desde 1993. É o responsável pelo desenvolvimento da visão da igreja, pela pregação e pela liderança do presbitério, além do exercício pessoal do ministério pastoral. É bacharel em Ministério Pastoral e mestre em Teologia pelo Seminário Teológico da Dallas, nos Estados Unidos. Antes de assumir seu ministério pastoral na Igreja Batista do Morumbi, foi professor por dez anos no Seminário Bíblico Palavra da Vida. É autor das obras *Cristão homoafetivo?* e *A sala da espera de Deus*, ambas da Mundo Cristão. Casado com Teca, é pai de Daniel e Rafael e sogro de Liana, esposa de Rafael.

Compartilhe suas impressões de leitura,
mencionando o título da obra, pelo e-mail
opiniao-do-leitor@mundocristao.com.br
ou por nossas redes sociais

Esta obra foi composta com tipografia Palatino
e impressa em papel Pólen Soft 70 g/m² na Imprensa da Fé